BERLITZ

D0527120

TUNISIE

- Un ☑ dans la marge indique un site ou monument que nous vous recommandons tout particulièrement
- Berlitz-Info regroupe toutes les informations pratiques, classées de A à Z, à partir de la page 107
- Pour un repérage facile, des cartes claires et détaillées figurent sur la couverture et à l'intérieur de ce guide

Printed in Switzerland by Weber SA, Bienne.

1re édition revue et corrigée 1996

Bien que l'exactitude des informations présentées dans ce guide ait été soigneusement vérifiée, elle n'en est pas moins subordonnée aux fluctuations temporelles. N'hésitez pas à nous faire part de vos corrections ou de vos suggestions en écrivant à Berlitz Publishing, à l'adresse ci-dessus.

Texte:	Neil Wilson
Adaptation française:	Christophe Rickenbach
Rédaction:	I. et O. Fleuraud, Christine Frohly
Photographie:	Chris Coe
Maquette:	Visual Image
Cartographie:	Visual Image

Nous remercions l'Office national tunisien du tourisme pour sa précieuse collaboration lors de la préparation de ce guide.

Photo de couverture:	*Hammamet* © The Image Bank
Photo p.4:	*Tunis – le minaret de la mosquée de la casbah*

SOMMAIRE

La Tunisie
et les Tunisiens

La Tunisie est le plus petit pays d'Afrique du Nord. Un peu plus de 200km séparent les palmiers bordant les plages de la côte méditerranéenne des palmeraies des oasis du désert, mais entre ces deux extrêmes, c'est tout un paysage de contrastes qui vous attend, prêt à être découvert.

Une position stratégique et la fertilité de son sol ont fait de la Tunisie un pays convoité, capturé et défendu au cours des âges par des envahisseurs successifs. Phéniciens, Byzantins, Romains, Arabes et Ottomans y ont laissé en héritage temples en ruines, architecture ornée, mosaïques superbes et imprenables forteresses qui réjouiront les visiteurs amateurs d'histoire. Non moins fascinant est le spectacle quotidien de la Tunisie moderne, qui entraîne le visiteur dans un tourbillon de couleurs, de sons et de parfums: une foule hétérogène pressant le pas à Tunis, dans un souk débordant de marchandises, duquel se dégagent des odeurs mêlées de cuir, d'épices et de bois de cèdre; la voix rauque d'un chameau qui blatère sur le marché de Douz, tandis que deux nomades en burnous débattent de son prix; les doigts agiles du potier djerbien modelant l'argile rose de l'île en un vase élégant; le sourire édenté d'un vieux pêcheur qui répare ses filets dans la casbah du vieux port de Bizerte. Et tout cela – et bien plus encore – est accessible aisément depuis les populaires stations balnéaires de la côte méditerranéenne.

La Tunisie couvre 750km du nord au sud, et 350km au plus d'est en ouest; elle est enserrée entre deux contrées géantes, l'Algérie et la Libye. Mais sa côte tortueuse, longue de 1200km, possède quelques-unes des plus belles plages de la Méditerranée. Des forêts de chênes des collines septentrionales aux dunes de sable du désert du Sahara, ses paysages ne cesseront de vous étonner.

Le nord du pays est dominé par la fertile plaine de la vallée **5** de Medjerda; l'ancien «grenier de Rome» est encore le principal producteur de blé du pays. Au nord de la Medjerda se dressent les montagnes boisées des Mogods et de la Kroumirie, dont les forêts de pins et de chênes-lièges surplombent la côte rocheuse septentrionale, réputée pour son corail rose et ses plages de sable retirées.

Des pas de porte richement ornés aux bazars locaux – la vie tunisienne regorge de couleurs !

Au sud de la vallée, une chaîne de collines, la Dorsale, s'étire d'est en ouest, jusqu'au cap Bon, séparant le nord plus humide de la steppe semi-aride de la Tunisie centrale. Le Sahel recouvre tout le centre de la Tunisie; Sousse et Monastir s'y dorent au soleil, les pieds dans les eaux tièdes et peu profondes du golfe d'Hammamet. À l'intérieur, l'amphithéâtre d'El Djem et la ville sainte de Kairouan cuisent dans la chaleur et la poussière des plaines.

Le chott El Djérid (lac salé) partage quasiment le pays en deux et marque la lisière septentrionale du désert. Au sud de celui-ci, les sables mouvants du Grand Erg Oriental forment un océan de dunes qui s'enfonce profondément dans le Sahara. Au large de la côte sud, Djerba, l'île-désert – le «pays des mangeurs de lotus» dont parlèrent Homère et Hérodote –, est devenue un paradis frangé de palmiers pour touristes en mal de soleil.

La population de la Tunisie compte environ huit millions d'habitants, principalement regroupés dans le nord du pays,

surtout aux alentours de Tunis et Sousse. Elle est composée d'un mélange d'Arabes et de Berbères, ces derniers s'étant, au fil des siècles, presque totalement assimilés à la culture arabe. Seulement 2% de la population actuelle est d'origine berbère; si leur langue a presque disparu, leur mode de vie se perpétue toujours dans les villages *ksour* du Sud. Vous verrez aussi, dans les oasis sahariennes, des hommes à la peau noire, descendant d'esclaves soudanais amenés ici par les marchands d'esclaves arabes – une pratique qui perdura jusqu'au XIXe siècle.

Les conquérants arabes apportèrent la religion de Mahomet; les Berbères résistèrent un temps, mais la Tunisie fut bientôt unie sous la bannière de l'islam. À l'instar de tous les musulmans, les Tunisiens se plient aux «cinq piliers de l'islam»: accepter l'affirmation qu'«il n'y a d'autre dieu qu'Allah et que Mahomet est son prophète», prier cinq fois par jour (à l'aube, à midi, dans l'après-midi, au coucher du soleil et après la tombée de la nuit), être charitable envers les pauvres et aider à l'entretien des mosquées, jeûner du lever au coucher du soleil durant le **7** mois du Ramadan, et faire le pèlerinage à La Mecque au moins une fois dans sa vie.

Les Tunisiens sont d'un naturel amical et accueillant; ils sont fiers de leur pays et de son histoire. À la campagne, vous rencontrerez certainement les manifestations de cette hospitalité à l'ancienne: on vous offrira du thé et l'on vous questionnera sur vos voyages et sur votre famille, et c'est avec plaisir que les habitants vous renseigneront sur l'histoire et les traditions de leur village.

Nombre de touristes passent à côté du meilleur de la Tunisie en restant dans les stations pour voyages organisés, telles que Monastir, Hammamet et Djerba. Pour profiter pleinement de votre séjour, partez à la découverte de cette Tunisie authentique qui s'étend bien au-delà des plages.

La mer, le sable, le soleil – les plages tunisiennes ont des allures de paradis terrestre.

Un peu d'histoire

La Tunisie est née, en tant qu'État-nation, au XXe siècle. L'histoire de ce petit pays stratégiquement situé au carrefour du bassin méditérranéen est longue et complexe.

Des outils grossiers et des armes primitives trouvés près de Gafsa, au sud de la Tunisie, auraient été façonnés au VIe millénaire av. J-C par les Capsiens, un peuple de chasseurs nomades originaires de l'Asie occidentale. Leur arrivée sur le sol tunisien remonte environ à 10 000 ans, et ce sont les descendants de ces colons de la première heure, qui, au IIe millénaire avant notre ère, accueilleront les premiers marchands phéniciens.

Des récits de l'époque décrivent leur peau claire et leur parler inintelligible. Les Grecs les dirent *barbares*, «étrangers, non civilisés», mot qui a traversé les âges pour donner l'actuel *Berbères* (le mot *barbare* a la même racine).

Les pionniers phéniciens

Les premiers à s'installer de façon permanente sur la côte tunisienne sont les Phéniciens. Navigateurs infatigables, ces marchands venus du Levant (Liban) quittent au XVe siècle

*L*es ruines de Carthage sont les images partielles d'une ville jadis resplendissante.

avant notre ère Tyr et Sidon, leurs cités d'origine, pour conquérir le bassin méditerranéen, dont ils deviennent très vite les maîtres. Ils établissent des comptoirs à Sousse, Utique et Bizerte (XIIe siècle av. J-C), avant de créer, en 814 av. J-C, Carthage (au nord de Tunis).

Bien qu'inventeurs de l'alphabet phonétique, dont dériveront par la suite les écritures européennes, les Phéniciens n'ont laissé aucun témoignage écrit les concernant. L'essentiel de ce que nous connaissons, nous le tenons des récits grecs et romains, qui relatent des épisodes atroces de sacrifices d'enfants; la description de la brutalité carthaginoise n'est pas à mettre au compte d'une amertume nourrie par des années d'opposition entre les Grecs et les Romains et les Phéniciens – des centaines de stèles funéraires, décrivant ces scènes dramatiques, ont été mises à jour dans les ruines de l'ancienne Carthage.

Des querelles de dynasties dans les métropoles vont renforcer la puissance de Carthage. Au VIe siècle av. J-C, Cyrus le Grand, fondateur de l'Empire perse, s'empare de Tyr et de Sidon, et Carthage devient le bastion de la civilisation punique. De l'Afrique du Nord à l'Espagne méridionale, de la Méditerranée orientale à l'Atlantique, surgissent de nouvelles colonies puniques, et la marine carthaginoise s'affirme alors en gardienne du détroit de Sicile, disputant ainsi aux Grecs la maîtrise des mers.

L'avènement de Rome

C'est alors que Rome, fondée en 753 av. J-C, affirme son autorité et menace la Corse et la Sicile, deux îles stratégiques. L'influence punique grandissante en Méditerranée ne pouvait en effet que contrarier leurs ambitions. Cette lutte de pouvoir entre Rome et Carthage déclenche la première guerre punique (264-241 av. J-C).

À l'origine, le premier conflit est une campagne navale. L'amiral Claudius Pulcher, en quête d'un augure, consulte les poules sacrées qu'il a prises à son bord, décrétant que si les

REPÈRES HISTORIQUES

vers 1200 av. J-C	Les Phéniciens établissent des comptoirs le long de la côte.
814 av. J-C	Fondation de Carthage.
264-241 av. J-C	Première guerre punique opposant Rome et Carthage.
218-201 av. J-C	Deuxième guerre punique; Hannibal franchit les Alpes.
149-146 av. J-C	Troisième guerre punique; sac de Carthage.
44 av. J-C-IIe s. apr. J-C	Les Romains relèvent la cité; période de prospérité.
439 apr. J-C	Les Vandales envahissent Carthage.
671	Au cours de la conquête arabe, Oqba ibn Nafi fonde la ville sainte de Kairouan.
800-909	Dynastie aghlabide. «âge d'or» et érection de la Grande Mosquée de Kairouan.
1159	Les Almohades s'emparent de Tunis.
1228-1574	Dynastie hafside. Croissance de Tunis.
1535	Barberousse capture Tunis pour les Turcs.
1574	La Tunisie est rattachée à l'Empire ottoman.
XVIIe siècle	Les pirates tunisiens terrorisent les navigateurs chrétiens de la Méditerranée.
1837-55	Règne d'Ahmed Bey qui, le premier, entreprend d'européaniser le pays.
1881	La Tunisie devient un protectorat français.
1934	Habib Bourguiba fonde le Néo-Destour.
1942-43	La Tunisie est le théâtre de combats violents opposant les Alliés aux Allemands.
1956	La Tunisie devient totalement indépendante.
1957	La République tunisienne est proclamée; Bourguiba est nommé président.
1987	Vieillissant, Bourguiba quitte la présidence.

Les villages de montagne du Sud tunisien perpétuent des traditions ancestrales.

volatiles se décident à picorer le grain qu'il vient de leur distribuer, la victoire sera romaine. Hélas, victimes du mal de mer ou manquant d'appétit, les poules refusent de manger. Fou de rage, Claudius les **12** passe par-dessus bord et fond

sur les Carthaginois. Mal lui en prend: il perd toute sa flotte dans la bataille.

Si Rome perd la bataille, elle gagnera toutefois la guerre après avoir bâti une nouvelle flotte sur le modèle d'un navire de guerre pris à l'ennemi. Carthage doit payer des dommages de guerre importants. Ulcérés par cette humiliante défaite, les fiers Carthaginois ne tardent pas alors à envahir l'Espagne, forçant ainsi les

Romains à s'engager dans la deuxième guerre punique (218-201 av. J-C) – un conflit considéré comme l'une des plus fameuses opérations militaires de l'Histoire.

Rome dominait les mers; les Carthaginois décideront donc d'attaquer sur la terre ferme. Parti de Sagunto (Ibérie), Hannibal, célèbre général carthaginois, franchit les Alpes avec 30 000 hommes et quelques dizaines d'éléphants. En 216 av. J-C, il affronte les légions ennemies à Cannes, en Italie méridionale. Pour Rome, qui perd plus de 50 000 hommes, le désastre est total. Rome persévère pourtant et finit par abattre son adversaire. Le général Scipion écrase les Carthaginois sur leur propre sol, à Zama, les contraignant à incendier leur flotte et à abandonner le pays, à l'exception cependant d'une partie de la Tunisie orientale.

Pendant le demi-siècle qui suit, Carthage continue à tirer parti de ses ressources et retrouve la prospérité, ce qui ne manque pas d'exciter la jalousie des marchands romains.

Au cours de la troisième guerre punique (149-146 av. J-C), Rome assiège Carthage pendant deux années. Lorsque, en 146, celle-ci doit se soumettre, sa population d'un quart de million de personnes est alors réduite à 50 000 âmes. Ceux qui n'ont pas péri sont emmenés en esclavage, et la destruction systématique de la cité est entreprise. De l'orgueilleux Empire, il ne reste plus rien: les terres carthaginoises deviennent province romaine d'Afrique.

Jules César entreprend de reconstruire la cité anéantie en 44 av. J-C; deux siècles plus tard, la ville de Carthage, redevenue florissante, compte une population de près de 300 000 habitants et s'enrichit de temples, thermes, théâtres, forum, arcs de triomphe, puis d'églises. L'arrière-pays fertile devient le «grenier de l'Empire».

Le pays restera romain pendant 600 ans, jusqu'à l'arrivée, au Ve siècle, des hordes barbares en Europe et en Afrique de Nord. En 439, les Vandales occupent la province, pillant les villes, fracassant les statues et ravageant les campagnes. Leur chef, Genséric, devient le seigneur de Carthage, mais néglige pour autant d'y instaurer un gouvernement régulier Aussi, à sa mort, le pays sombre-t-il vite dans l'anarchie. Profitant du chaos, Justinien, empereur byzantin, y dépêche des troupes en 534; celles-ci ne rencontreront aucune résistance et Byzance gardera la main mise sur la région pendant un peu plus d'un siècle, jusqu'aux invasions arabes.

La conquête arabe

Au cours du VIIe siècle, les combattants arabes, unis sous la bannière de l'islam, conquièrent tout le Moyen-Orient (Perse comprise), l'Afrique du Nord, l'Espagne et une partie de la France.

Ces guerriers de la première heure comptent dans leurs rangs un combattant exceptionnel: Oqba ibn Nafi, futur maître du Maghreb (dit «le Couchant», terme regroupant le Maroc, la Tunisie et l'Algérie). Ses troupes débarquent en **14** 670 par l'arrière-pays, évitant

ainsi les bastions côtiers byzantins. Négligeant la ville infidèle de Carthage, il fait de Kairouan sa capitale, et jure d'en faire la citadelle de l'islam. Il poursuit sa route en direction de l'ouest. Parvenu aux rives de l'Atlantique, il invoque Allah et le prend à témoin: il ne reste plus un seul infidèle à convertir, plus un seul pouce de terre à conquérir. Islamisé dans sa totalité, le Maghreb ne connaîtra plus d'autre foi.

Pourtant administrer ces nouveaux territoires n'ira pas sans mal. Né d'un petit État d'Arabie, l'Empire musulman s'était soudainement enflé, se muant en une entité complexe. Chacune des nombreuses ethnies peuplant les fiefs arabes possède sa propre langue, ses propres traditions, et les défend farouchement. Implanté au nord du Sahara depuis la préhistoire, le peuple berbère se montrera particulièrement peu disposé à adopter les us et coutumes arabes.

À peine le pays a-t-il été envahi par Oqba que celui-ci se heurte à une tribu berbère de

L'imposant Acropolium, achevé en 1890, offre un joli point de vue sur Carthage et la baie de Tunis.

confession juive. Les insurgés, dirigés par El Kahina (La Prophétesse), reconquièrent une grande partie du territoire. Les Arabes mettent cinq années à mater la rébellion. Après une dernière bataille à El Djem, ils se vengent en exécutant El Kahina et en envoyant sa tête au calife de Damas.

Mais Damas est bien loin et les dignitaires locaux, influencés par les Berbères et les érudits islamiques radicaux de Kairouan, se rebiffent contre l'autorité centrale. En 797, nommé gouverneur de Tunis par le calife de Bagdad, Ibrahim ibn Aghlab se proclame émir, et c'est en toute autonomie que lui et ses descendants gouverneront la Tunisie pendant plus d'un siècle, jusqu'à leur évincement en 909.

La période aghlabide est généralement considérée comme l'«âge d'or» de la Tunisie. La ville de Tunis, devenue un port **15** arabe au siècle précédent, est agrandie, et la construction de la mosquée Zitouna entreprise. Les Grandes Mosquées de Kairouan, Sfax et Sousse, ainsi que les puissants *ribats* de Sousse et Monastir datent de la même époque. Le commerce et l'agriculture prospèrent et des campagnes militaires permettent le contrôle de Malte, de la Sicile et de la Sardaigne, jusqu'au sac de Saint-Pierre de Rome, en 846.

Les Fatimides, après avoir conquis l'Égypte, balaient les Aghlabides et font du Caire leur capitale. La Tunisie connaît alors une période de profonde anarchie, dominée par les farouches nomades arabes de la tribu des Beni Hilal. Puis, au milieu du XIIe siècle, la puissante famille des Almohades quitte son fief de l'ouest pour conquérir le reste du Maghreb. Le désordre et les ravages prennent fin. L'empire des Almohades, au sommet de sa puissance, s'étendra de Marrakech (leur capitale) à la Libye et à l'Espagne. Leur règne, empreint de rigorisme coranique, durera 70 ans, et la

Tunisie y gagnera prospérité et stabilité politique. Cependant, l'unité de l'Empire almohade s'effritera lorsque des gouverneurs locaux affirmeront leur autorité, en fondant la dynastie des Hafsides, qui régnera de 1228 à 1574.

Grandeur et magnificence caractériseront le règne des Hafsides, qui prendront la ville de Tunis pour capitale. Bâtisseurs émérites, les Hafsides doteront celle-ci de ses plus célèbres collèges (*médersas*). C'est à eux que l'on doit aussi le souk des Étoffes et celui des Parfumeurs (*Attarine*), entre autres. En 1270, les Croisés, conduits par saint Louis, tentent de renverser le grand Abu Abdullah al-Mustansir (1249-1277), le «commandeur des Croyants». Leur tentative échoue et le roi Saint Louis meurt de la peste à Tunis.

La domination turque

Khayr ad-Din, un corsaire turc originaire de l'île égéenne de Lesbos, est plus connu sous le nom de Barberousse. Avec son frère Aruj et sa flotte pirate basée dans l'île de Djerba, il sème la terreur dans toute l'Espagne et le Portugal. L'ambitieux Barberousse rêvait de son propre royaume en Afrique. Après avoir fait allégeance au sultan ottoman, en échange de son aide militaire, il s'empare d'Alger en 1529; il devient amiral de la flotte turque peu de temps après, et prend Tunis en 1535 après avoir écrasé les Hafsides. En 1574, la Tunisie devient une province de l'Empire ottoman.

Sous l'autorité des Turcs, Tunis devient une grande puissance maritime. Les pirates terrorisent tous les navires non ottomans. Leurs fructueuses opérations enrichissent considérablement la Tunisie qui deviendra, au XVIIe et au XVIIIe siècle, un État puissant. Mais très vite, les pirates cessent d'obéir au sultan. Ce dernier renonce à nommer le bey de Tunis – désigné à

l'origine tous les trois ans – et la fonction beylicale devient héréditaire. À la fin du XVIIIe siècle, les beys, pétris de culture tunisienne, n'ont plus d'ottoman que le nom.

De 1837 à 1855, Ahmed Bey entreprend de moderniser le pays. L'esclavage est aboli, et la Tunisie se dote d'une armée moderne, entièrement équipée par l'Europe. Le pays accueille des usines, des banques et des voies de communication. Mais tout en Europe va trop vite, et entre elle et le

Les habitants du Sud tunisien se parent, malgré la chaleur, de leurs habits traditionnels.

monde musulman, le fossé ne cesse de s'élargir. Traquées par les cuirassés à vapeur des Occidentaux, les galiotes barbaresques disparaissent des mers. Les États pirates, jadis si prospères, se muent en «protectorats», tributaires d'une Europe toute puissante.

Vers l'indépendance

La France, qui a pris possession de l'Algérie en 1830, manifeste un vif intérêt pour la Tunisie. Suite au raid de quelques tribus tunisiennes en Algérie, les Français occupent Tunis et imposent le protectorat au pays. Le traité du Bardo, signé le 12 mai 1881, reconnaît le bey comme dirigeant, alors que le pouvoir passe entre les mains des Français.

La colonisation est un désastre pour une grande part des paysans tunisiens, qui sont expulsés de leurs terres par des immigrants français et italiens. Les classes libérales, quant à elles, réussissent à garder leur niveau de vie; elles apprennent le français, envoient leurs enfants étudier en métropole, et adoptent quelques coutumes françaises. Mais en dépit de leur éducation, les hautes charges de l'administration leur restent interdites; la frustration de l'élite urbaine nourrira le mouvement nationaliste.

Un mouvement de libération nationale apparaît avec la naissance du parti des Jeunes-Tunisiens, inspiré du parti des Jeunes-Turcs d'Istanbul. Mais il ne recueille que peu de soutien populaire. En 1911, à la suite de l'incident du Djellaz, soulèvement sanglant cruellement réprimé par les Français, des Tunisiens de tous bords se rallient au mouvement.

L'année 1920 voit la création du Parti constitutionnel libéral du Destour (*destour*, en arabe, signifie «constitution»), dont l'objectif est d'obtenir, par une collaboration avec la France, une plus grande autonomie de la Tunisie. Une tentative qui, sous le poids des inerties, sera vouée à l'échec.

Or, en 1927, un jeune avocat brillant, accompagné de son épouse française, rentre à Tunis après avoir achevé ses études de droit à Paris. Habib

Bourguiba, francophile convaincu, sympathise d'abord avec le Destour, mais ne tarde pas à réaliser que l'évolution désirée ne pourra s'accomplir sans luttes. La presse tunisienne lui ouvre ses colonnes. En 1934, Bourguiba fonde le Néo-Destour afin de gagner la population à l'idée d'autodétermination. Arrêté la même année pour agitation politique, il est condamné à trois ans de prison. En 1938, il reprend ses activités politiques et la France ordonne la dissolution de son parti; Bourguiba et ses amis sont internés en métropole.

Les pirates de la Côte de Barbarie

Les corsaires musulmans qui sillonnaient les mers de la Côte de Barbarie (la côte nord-africaine, de la Libye au Maroc, nommée ainsi d'après les Berbères) jouissaient, en échange d'une partie de leur butin, d'appuis financiers à Tunis et à Alger.

Les corsaires attiraient des mercenaires de toute l'Europe. Leurs nefs, appelées galiotes, mues à la rame, s'avéraient plus rapides et discrètes que les bateaux à voiles traditionnels. Une galiote pouvait s'approcher d'un navire marchand ou d'une ville côtière, passer à l'attaque, charger à bord otages et butin et reprendre le large en un éclair. En mer, toutefois, la discipline était des plus strictes: toute personne abandonnant son poste était exécuté.

Lorsque les pirates triomphants retournaient à Tunis, la ville explosait en fêtes et débauches. Les hommes d'équipage et les galériens, à peine débarqués, faisaient fortune en revendant leur part de butin aux marchands tunisiens – négoce fort profitable à ces derniers. Les prisonniers, quant à eux, étaient vendus comme esclaves et, s'ils étaient artisans, achetés un bon prix. Les nobles et les riches marchands, pour leur part, étaient rançonnés sur le champ.

Quand les Alliés, sous le commandement d'Eisenhower, débarquent en Afrique du Nord, en novembre 1942, les Allemands et les Italiens s'emparent de la Tunisie; contrôler ce pays est vital pour eux, car Rommel prépare une percée vers l'est. Anglo-Américains et Allemands se livrent dans la région des combats acharnés, mais les Alliés l'emportent finalement en mai 1943.

En 1945, convaincu qu'aucune concession majeure ne sortira des négociations avec la France, Bourguiba quitte la Tunisie pour Le Caire, où il fonde un Comité pour la libération du Maghreb. Il est brillamment élu président du Néo-Destour en 1948. Voyageur infatigable, le «Combattant suprême» s'affirme en champion de l'indépendance. Conscients qu'ils doivent désormais compter avec lui, les Français l'invitent à Paris. Des pourparlers devant déboucher sur l'autonomie de la Tunisie s'y déroulent. Mais rien n'est gagné pour autant: malgré ses promesses, la France temporise. En guise de riposte, les militants s'organisent et décident de passer à l'action. De retour dans son pays, Bourguiba est placé, pendant deux ans, en résidence surveillée.

Exaspérés par cette arrestation, ses partisans se soulèvent et les heurts sanglants se multiplient. De leur côté, les colons de Tunisie s'opposent violemment à toute concession de la part de Paris. Vaine résistance, car en 1954 le gouvernement de Mendès-France reconnaît publiquement le droit des Tunisiens à l'autodétermination. Bourguiba et Edgar Faure (devenu président du Conseil) signent, l'année suivante, un accord garantissant l'autonomie interne de la Tunisie. Habib Bourguiba rentre alors à Tunis où il est accueilli en triomphateur. Le 20 mars 1956, le pays est totalement indépendant. (La France conservera sa base militaire de Bizerte jusqu'en 1963.)

Le mausolée Bourguiba, à Monastir, fut érigé en l'honneur du père de la Tunisie moderne.

Les palmiers dattiers constituent la principale source de revenus de nombreuses oasis tunisiennes.

La Tunisie d'aujourd'hui

Le pays est gouverné par un bey jusqu'en juillet 1957, date à laquelle la Tunisie devient une république, avec Habib Bourguiba pour président. Le nouveau chef de l'État procède alors à de profondes réformes administratives et sociales, notamment dans le domaine de l'éducation. Son mandat est à trois reprises reconduit; l'Assemblée nationale le nomme, en 1975, président à vie.

Les difficultés économiques du pays et la montée du fondamentalisme islamique dans les années 1970-80 ne lui rendront pas la tâche facile; en 1987, la mauvaise santé du président et son âge (84 ans) l'obligeront à renoncer au pouvoir.

Habib Bourguiba est considéré comme le père de la Tunisie moderne, et chaque ville du pays possède une avenue à son nom. Un mausolée et une mosquée ont été érigés dans sa ville natale de Monastir.

Aujourd'hui, la Tunisie fait figure de modérée parmi les nations arabes. En dépit de sa petite taille, elle joue un rôle déterminant dans les affaires internationales. Tunis, siège de l'OLP (Organisation de Libération de la Palestine) jusqu'en 1982, a aussi été la ville d'accueil de la Ligue arabe (1979-90). La Tunisie garde des liens étroits avec la France et les États-Unis, et a d'importants échanges commerciaux avec l'Europe occidentale. De plus, son industrie touristique florissante en fait le pays arabe le plus visité des Européens.

La Tunisie est une nation tolérante, tournée vers l'avenir, qui compte parmi l'un des plus hauts niveaux de vie des pays en développement; un pays plein d'énergie qui fait, à juste titre, la fierté de ses habitants.

Parlons tunisien !

Ce petit lexique vous rendra service lors de votre séjour:

aïn	source	kalaâ	forteresse
bab	porte, entrée	ksar	village fortifié
bordj	fort	maqroudh	gâteau de
casbah ou	citadelle (dans		semoule fourré
kasba	une médina)		à la pâte de
chott	lac salé		dattes et arrosé
dar	maison		de sirop
djamâ	mosquée	médersa	collège religieux
djebba ou	tunique à	médina	vieille ville
djellaba	manches	mergoum	tapis brodé
	longues	ribat	monastère fortifié
djébel	montagne	souk(s)	marché, ruelles
ghorfa	maison fortifiée		marchandes
hadj	pèlerinage à	tophet	aire sacrificielle
	La Mecque	zaouïa	siège d'un ordre
klim	tapis tissé (motifs		religieux
	géométriques)	zerbia	tapis noué

23

Que voir

La Tunisie est un pays peu étendu, et bon nombre de sites se situent à moins d'une journée des stations balnéaires de la côte. Une des excursions les plus prisées a pour destination Tunis, la capitale cosmopolite et, toutes proches, les ruines de l'ancienne Carthage.

Tunis

À la vérité, Tunis, c'est trois villes en une. Il y a d'abord la capitale moderne de la République tunisienne, aux avenues plantées d'arbres, et bordées d'immeubles modernes et de terrasses de café animées; ensuite, la médina, médiévale et arabe, exotique labyrinthe de rues étroites et tortueuses, aux minuscules boutiques, aux grandes mosquées et aux palais imposants; puis Carthage, l'ancienne métropole punique, dont les ruines se détachent sur les fleurs des villas alentour. Vous occuperez aisément deux journées à visiter Tunis et ses environs, mais si vous disposez d'un temps limité, une journée et demie suffira.

L'épine dorsale de la ville moderne est un large boulevard qui s'étire de la médina jusqu'au lac de Tunis: l'**avenue Habib-Bourguiba**. Sous les ombrages de la promenade centrale, les kiosques proposant journaux, revues et livres alternent avec les éventaires odorants des fleuristes, tandis que les luxueux hôtels et les cafés raffinés bordent les trottoirs. (Suite à la déposition de Bourguiba en 1987, la rue fut officiellement renommée avenue du 7 Novembre, mais on continue à l'appeler de son ancien nom.)

La place de l'Indépendance, à l'extrémité ouest de l'avenue, est dominée par la façade de la **cathédrale** catholique de Saint-Vincent-de-Paul (1882), héritage de l'époque coloniale. En face, de l'autre côté de la place, se trouve l'ambassade de France. Puis le boulevard se resserre pour déboucher dans l'avenue de France, rue bordée d'arcades, qui vous conduira aux portes de la médina.

LES HAUTS LIEUX DE LA TUNISIE

Médina de Tunis. Le cœur historique de la capitale tunisienne est un dédale de rues étroites et de souks ombreux, où vous pourrez admirer l'architecture islamique des monuments ou marchander le prix des tapis avec des vendeurs locaux. (Voir p.26)

Musée du Bardo. Boulevard du 20 Mars, Tunis. Musée national d'archéologie; superbe collection de mosaïques romaines. Bus n° 3 depuis l'avenue Habib-Bourguiba ou ligne 4 du métro. Ouvert de 9h30 à 16h30, fermé le mardi et les jours fériés. Entrée: 2 DTU, plus 1 DTU pour les appareils photo et caméscopes. (Voir p.32)

Sidi Bou Saïd. Un joli village perché au-dessus de la mer, au nord de Tunis. L'endroit rêvé pour un après-midi de chasse aux souvenirs, suivi d'une balade ou de la visite du musée de la musique qu'abrite la propriété néoandalouse d'Ennejma Ezzahra. (Voir p.36)

Dougga. Les plus grandes et les mieux préservées des ruines romaines de Tunisie. Ne manquez pas le temple capitolin, les thermes de Lucinius, la maison du Trèfle et le singulier mausolée d'Ateban. Ouvert de 8h à 18h. Entrée: 1 DTU, plus 1 DTU pour les appareils photo et caméscopes. (Voir p.38)

El Djem. Amphithéâtre romain de 30 000 places, magnifiquement préservé (IIIe siècle apr. J-C). Ouvert de 8h à 18h. Entrée: 2 DTU, plus 1 DTU pour les appareils photo et caméscopes. (Voir p.59)

Chott el Djérid. La beauté désolée du plus grand lac salé du Sahara (et d'Afrique du Nord). Les villes oasiennes de Tozeur et Nefta offrent la douceur des ombrages de leurs palmeraies; les dunes de sable de Douz, au sud, marquent la «porte du Sahara». (Voir p.77)

Matmata. Le plus célèbre des villages troglodytes de Tunisie, aux maisons excavées dans la terre rougeâtre. Si vous disposez de plusieurs jours, n'hésitez pas à passer une nuit pittoresque dans l'un des hôtels souterrains. (Voir p.81)

Les ksour. Les villages berbères historiques de Chenini, Douiret, Guermessa et Ksar Haddada, avec leurs maisons-cavernes et leurs greniers municipaux fortifiés (ou *ksour* – plur. de *ksar*) comptent parmi les plus spectaculaires du pays. (Voir p.83)

LA MÉDINA

La médina de Tunis se vante d'être la plus paisible de toute l'Afrique du Nord; elle est certainement celle où il est le plus facile de s'orienter. Un plan détaillé est apposé aux portes principales de la médina, et les principaux points d'intérêt

L'avenue Habib-Bourguiba – une artère animée et feuillue au cœur de la ville moderne.

sont indiqués à l'aide de symboles orange. Les souks sont exempts des marchands trop entreprenants qui, à Fès, Marrakech ou au Caire, sont la hantise des touristes; ce n'est qu'aux alentours du souk des marchands de tapis que vous pourriez être importuné.

La **porte de France**, autrefois **Bab El Bahr** (porte de la Mer), fut construite en 1848. Ce vestige de l'enceinte de la ville – aujourd'hui en grande partie démolie – marque l'entrée de la médina. Jadis située

sur la rive même du lac de Tunis, elle fut coupée de l'eau par la construction de la ville nouvelle. À sa droite, l'ambassade de Grande-Bretagne est installée dans un pittoresque bâtiment mauresque qui n'est pas sans évoquer un palais des *Mille et Une Nuits*. Passez la porte de France, et des deux allées étroites qui vous font face, prenez celle de gauche.

La **rue Djamâ-ez-Zitouna** est l'artère principale de la vieille ville, où s'alignent des petites échoppes d'artisans et des boutiques de souvenirs. En vous mêlant à la foule qui remonte nonchalamment vers le sommet de la colline, vous serez immergé dans un monde riche en odeurs, où encens et essences se mêlent à l'alléchant fumet d'un *méchoui* et à l'arôme du café fraîchement moulu. Le martèlement des orfèvres et le frottement des babouches sur les dalles lisses de la rue couvrent souvent la voix du *muezzin* qui, du haut d'un minaret, appelle à la prière, tandis que les couleurs éclatantes des caftans brillent dans une alternance d'ombre et de lumière. Après avoir parcouru un tunnel, vous arriverez au pied des marches qui mènent à la mosquée de la Zitouna.

La **Djamâ ez Zitouna** (la mosquée de l'Olivier) est le pivot de la vie quotidienne de la médina depuis plus de mille ans. Fondée en 732 sur le site d'un temple d'Athéna, elle a subi maintes restaurations et transformations. Le mur d'enceinte est constitué de pierres prélevées aux ruines de Carthage. En dehors des heures de prière, les visiteurs peuvent accéder à la galerie supérieure. De là, vous pourrez goûter à la tranquillité du lieu, après le grouillement tout oriental de l'extérieur. La salle de prières apparaît au-delà d'un arc en fer à cheval. Le minaret carré est un ajout du XIXe siècle.

Les parties les plus intéressantes de la médina sont regroupées dans les venelles qui entourent cette mosquée. Les ruelles furent couvertes de voûtes, il y a de cela plusieurs siècles, pour regrouper les artisans de la ville. Les corporations privilégiées, parfumeurs, libraires ou bijoutiers, reçurent **27**

La porte de France annonce le labyrinthe pittoresque de la médina de Tunis.

les meilleurs emplacements, à proximité de la mosquée; les marchands plus «bruyants», ferronniers ou selliers, durent s'établir plus loin, pour ne pas déranger ceux qui se consacraient à l'étude. Les malheureux tanneurs, et leurs activités nauséabondes, furent relégués très loin, bien au-delà des remparts. Le tourisme et les impératifs du commerce moderne ont entraîné un relâchement de cette stricte répartition. Certains vieux souks (rues marchandes) sont encore réservés à un corps de métier, mais il est maintenant plus courant de voir différentes échoppes regroupées dans un même souk.

En sortant de la mosquée, tournez deux fois à gauche et pénétrez dans le **souk el Attarine** (souk des Parfumeurs), situé le long du mur nord. Quelques parfumeurs authentiques y officient encore, mais leurs créations onéreuses ont souvent été remplacées par des articles moins chers. Les fioles des étals sont remplies d'inestimables huiles essentielles – fleur d'oranger, rose, muguet, girofle, cannelle, jasmin, santal et vanille – et d'extraits de civette, d'ambre gris, de castoréum et de musc. Vous aurez le choix entre les préparations toutes faites et les mélanges personnalisés. Les chandeliers étranges, à branches multiples, que l'on voit chez les parfumeurs, sont utilisés lors des mariages; ils ouvrent la procession qui conduit la jeune épouse à son nouveau foyer.

Prenez de suite à gauche en sortant du souk el Attarine, le long du mur ouest de la Zitouna, pour rejoindre le **souk des Étoffes**, où draps et pièces de tissus colorés, tendus en travers des ruelles, étouffent les palabres des boutiquiers. Ce souk prend fin à un carrefour, au coin sud-ouest de la mosquée, pour faire place, sur la droite, au **souk des Orfèvres**.

Le martèlement des outils qui s'échappe des portes rythmera votre visite de ce lacis d'impasses aux vitrines habillées d'or, de corail, de perles et de pierres précieuses.

À gauche se trouve le **souk de la Laine** avec ses échoppes de tailleurs et ses tisserands affairés à leurs métiers à tisser. Le souk des Femmes lui succède, avec ses marchands de

L'art du parfumeur

La fabrication de parfums était considérée par les Arabes comme la plus noble des activités. Dans chaque ville, l'emplacement d'honneur près de la mosquée était généralement réservé au souk el Attarine (*attar* en arabe signifie «parfum»). La parfumerie est un art complexe et les Tunisiens jouissent, à cet égard, d'une excellente réputation.

Un grand parfum réunit plus de cent essences différentes, mélangées selon des formules secrètes. Les matières de base comprennent des huiles essentielles de fleurs, de fruits et d'épices – jasmin, lavande, citron, noix de muscade –, de bois aromatiques tels que le santal, et de sécrétions animales dont l'ambre gris (cachalot) et le castoréum (castor). L'objectif ultime du parfumeur est de créer une fragrance à trois temps qui se marie naturellement à l'odeur de celle ou de celui qui la portera: une émanation, fraîche et volatile, se dévoile en premier; puis vient le parfum et sa composition originale; enfin une dernière senteur, l'«après-parfum», apporte la touche finale.

Les superbes mosaïques du musée du Bardo illustrent l'histoire de la civilisation romaine.

tapis et de nattes (à gauche), et ses joailliers (à droite). En continuant dans cette direction une dizaine de minutes, vous atteindrez les quartiers sud de la médina où se dresse le **Dar ben Abdallah** (suivez les indications orange sur les murs). Cet imposant palais du XVIIIe siècle abrite le **musée des Arts et Traditions populaires**. Sur la cour centrale magnifiquement décorée s'ouvrent quatre **30** salles qui renferment nombre

de tableaux du XIXe siècle, représentant diverses scènes de la vie tunisienne: des hommes prenant le thé, une grand-mère montrant à des jeunes filles comment soigner les bébés, des femmes cousant, ainsi qu'une fiancée se préparant pour ses noces.

Si, de retour vers le souk el Attarine et près de la Djamâ ez Zitouna, vous prenez la rue Sidi Ben Arous, vous découvrirez l'incomparable façade de marbre rose de la **mosquée** et du **mausolée de Hammoûda Pacha** (1655). Cet édifice rappelle un épisode de l'histoire tunisienne: le sultan ottoman envoya des gouverneurs turcs à Tunis, qui introduisirent leur foi: un islam d'obédience hanéfite, légèrement distinct du rite malékite observé par les Tunisiens. Hammoûda Pacha dota sa mosquée d'un minaret octogonal (ceux de Maghreb ont un plan carré) surmonté d'un kiosque. Les saisissants motifs noir et blanc du nouvel édifice (l'un des plus beaux des vieux quartiers) apportèrent une touche un peu «exotique» à la médina.

MUSÉES ET MOSQUÉES

Djamâ ez Zitouna. Rue Djamâ-ez-Zitouna, la médina, Tunis. Héritage de la dynastie hafside. Ouverte de 9h à midi, fermée le vendredi. Entrée: 1 DTU (inclut le Dar ben Abdallah et d'autres monuments). (Voir p.27)

Dar Ben Abdallah. Rue Dar-ben-Abdallah, la médina, Tunis. Palais du XVIIIe siècle abritant le musée des Arts et Traditions populaires. Ouvert de 9h30 à 16h30; fermé le dimanche. Entrée: 1 DTU (inclut la Zitouna et d'autres monuments). (Voir p.30)

Musée du Bardo. Boulevard du 20 Mars, Tunis. Musée national d'archéologie; superbe collection de mosaïques romaines. Bus n° 3 depuis l'avenue Bourguiba ou ligne 4 du métro. Ouvert de 9h30 à 16h30, fermé le mardi et les jours fériés. Entrée: 2 DTU, plus 1 DTU pour les appareils photo et caméscopes. (Voir p.32)

Musée de Carthage. Train TGM jusqu'à Carthage-Dermoch ou Carthage-Hannibal. Musée archéologique exposant le produit des fouilles des ruines de Carthage. Ouvert de 7h à 19h (été), de 8h à 18h (hiver). Entrée: 2 DTU (inclut tous les sites de Carthage), plus 1 DTU pour les appareils photo et caméscopes. (Voir p.34)

Ribat de Sousse. Monastère fortifié de la fin du VIIIe siècle; très beau panorama du haut de la tour de guet. Ouvert de 8h à 19h (été), de 8h30 à 17h30 (hiver). Entrée: 1 DTU, plus 1 DTU pour les appareils photo et caméscopes. (Voir p.51)

Musée archéologique de Sousse. Collection de mosaïques romaines, dans une casbah médiévale. Ouvert de 8h à midi et 15h à 19h (été), de 9h à midi et 14h à 17h (hiver). Entrée: 1 DTU, plus 1 DTU pour les appareils photo et caméscopes. (Voir p.52)

Ribat de Monastir. Monastère fortifié du IXe siècle; petit musée de l'art islamique. Ouvert de 8h à 17h30. Entrée: 1 DTU, plus 1 DTU pour les appareils photo et caméscopes. (Voir p.53)

Grande Mosquée de Kairouan. Mosquée du IXe, sur le site du plus ancien sanctuaire d'Afrique du Nord. Ouverte de 8h à 14h30 (12h30 le ven.). Entrée: 2 DTU (inclut tous les sites de Kairouan), plus 1 DTU pour les appareils photo et caméscopes. (Voir p.56)

LE BARDO

Le musée national du Bardo, qui occupe un palais beylical du XIXe siècle dans le faubourg ouest de Tunis, recèle nombre des plus grands trésors archéologiques de la Tunisie. Des témoins de toutes les périodes de la riche histoire du pays – de Carthage à l'Islam – y sont présentés. Parmi les objets exposés se trouvent des pièces se rapportant aux sacrifices d'enfants pratiqués par les Carthaginois, des statues romaines et de très beaux fonts baptismaux datant du début de l'ère chrétienne. Mais la splendide collection de mosaïques romaines, aux premier et deuxièmes étages, est la principale

La visite du musée du Bardo vous fera découvrir quelques-unes des plus belles pièces archéologiques du monde.

attraction du musée. Ces fascinantes images colorées fournissent un témoignage de la vie quotidienne au temps des Romains, illustrant des scènes de ferme, chasse et pêche, ainsi que des thèmes mythologiques et religieux plus nobles. Les mosaïques, datant du IIe siècle av. J-C au VIIe siècle de notre ère, viennent de toute la Tunisie; celles de Sousse, de Dougga et d'El Djem sont particulièrement remarquables.

La mosaïque la plus célèbre du musée se trouve salle XV; elle représente Virgile entouré de deux muses – Melpomène, muse de la Tragédie, tenant un masque et Clio, muse de l'Histoire. Citons, parmi les pièces remarquables, Persée délivrant Andromède du monstre marin, et une gigantesque œuvre au sol du IVe siècle apr. J-C, illustrant 23 bateaux de types différents évoluant sur une mer poissonneuse. Ne manquez pas la superbe représentation d'Ulysse, en route vers l'île de la nymphe Calypso, attaché au grand mât de son bateau afin d'échapper à l'attrait du chant des Sirènes.

CARTHAGE

Dans la langue phénicienne, le nom de «Carthage» signifie «ville nouvelle» et, lorsque la ville fut fondée en 814 av. J-C, c'est ce qu'elle était – une ville nouvelle dans un pays nouveau. Aujourd'hui, Carthage – enfin, ce qui en reste ! – est la cité la plus ancienne de Tunisie. Rasée par les Romains en 146 av. J-C, puis rebâtie plus tard, cette cité déclina définitivement quand les Arabes fondèrent Tunis au VIIIe siècle.

Les ruines de Carthage sont situées à 18km au nord-est du centre de Tunis, au cœur d'une zone résidentielle de villas et jardins. Le site est d'accès facile avec le TGM, un petit train qui relie fréquemment Tunis à Carthage (voir TRANSPORTS, p.130). Les ruines couvrant une grande superficie, réservez une bonne partie de la journée à leur visite, et surtout prévoyez une bonne paire de chaussures de marche.

En descendant à la station Carthage-Salammbo, vous atteindrez vite le **tophet** (sanctuaire), un lieu où, des siècles **33**

durant, les garçons premiers-nés des familles nobles, voués aux dieux, étaient sacrifiés par milliers. Les petites victimes étaient étranglées, leurs os incinérés et les restes sacrificiels déposés dans des urnes et ensevelis à des emplacements marqués par des stèles, dont bon nombre sont exposées au musée du Bardo.

La cité antique était construite autour de la colline de Byrsa, un site qu'occupe le **musée national de Carthage**. Pour vous y rendre, descendez du train à Carthage-Dermech ou à Carthage-Hannibal, puis gagnez à pied le sommet de la colline. Parmi les objets exposés, vous verrez des sculptures grecques et romaines, des sarcophages romains, des stèles phéniciennes et des amphores. Nombre de pièces sont exposées dans les jardins voisins, au milieu de cyprès, de pins et d'eucalyptus. Près du musée, une tranchée dévoile les fondations et les murs de maisons puniques qui pouvaient avoir jusqu'à six étages, avec des citernes et canalisations d'égout décorées de stucs rose. Près du musée se dresse l'**Acropolium** (jadis la cathédrale de Saint-Louis), datant de 1890.

Les ruines grandioses des **thermes d'Antonin** s'élèvent non loin des stations Carthage-Dermech, Carthage-Hannibal et Carthage-Présidence. Construit au IIe siècle de notre ère, avec ses 3,5ha, ce lieu de rencontre privilégié d'une société florissante comptait parmi les plus vastes de tout l'Empire. Il ne reste que les fondations de cet immense centre, qui comportait une centaine de pièces, chacune affectée à un usage particulier: bains froids (*frigidaria*), bains de vapeur (*caldaria*), bains chauds (*tepidaria*), piscines avec fontaines, mosaïques et fresques, salons de massage, salles à manger, palestre et salles de prière. Sur une petite plate-forme d'observation, une dalle en marbre porte un plan de l'endroit qui vous permettra de vous repérer dans ce monument.

Une courte promenade vers le sommet de la colline vous conduira aux **villas romaines**,

Didon et Énée

La légende attribue la fondation de Carthage à Didon, sœur du roi de Tyr, Pygmalion. Après que son frère eut assassiné son mari pour s'emparer de ses trésors, elle s'enfuit, avec ses suivantes, en Afrique du Nord. Là, un chef de tribu local, du nom de Larbus, consentit à lui vendre toute la terre que pourrait recouvrir une peau de taureau. Avisée, Didon découpa la peau en fines lanières qui, cousues ensemble, permirent d'entourer la colline de Byrsa. Elle y fonda Carthage.

Selon le poète Virgile, Didon tomba amoureuse du héros Énée lorsque celui-ci aborda les rives puniques, après la chute de Troie (en réalité, il aurait été âgé de 500 ans, si l'événement s'était réellement produit !). Quand, sur l'ordre de Jupiter, Énée partit fonder Rome, Didon se donna la mort.

35

un vaste ensemble de ruines comprenant un odéon et des villas. L'une d'entre elles, restaurée, abrite un petit musée retraçant la vie quotidienne dans l'Antiquité. Ici, le décor n'a pas changé: ni le site avec ses douces et verdoyantes collines, ni la couleur de la mer, ni les mantes religieuses fixées sur quelques feuilles, ni les lézards sur les pierres. (La villa moderne sévèrement gardée, que vous apercevrez en contrebas, est le Palais présidentiel).

Au-dessous de l'odéon, le **théâtre romain** a fait l'objet d'une restauration minutieuse au XXe siècle. Il prête son cadre aux concerts et aux représentations dramatiques du Festival international de Carthage (voir p.96).

SIDI BOU SAÏD

Entre le phare qui coiffe sa colline et le bord de mer, Sidi Bou Saïd présente un décor type de carte postale. Déclinant, sur une pente raide, ses maisons cubiques immaculées aux volets et portes bleus, le village est célèbre pour son incomparable beauté. Du sommet de la colline, vous contemplerez l'un des plus beaux panoramas qui soient. De plus, vous pourrez admirer les fameuses cages à oiseaux de la région, dont les arabesques de bois et de fils de fer rappellent les élégantes courbes en fer forgé des fenêtres des maisons.

Le village doit son nom à la mosquée et à la tombe d'un saint homme du XIIIe siècle. Devenu, il y a une centaine d'années, la retraite exclusive de riches personnages locaux, ses rues pavées sont aujourd'hui envahies par les cars touristiques. Afin de profiter au mieux de votre séjour, allez-y le soir ou tôt le matin, l'idéal étant de passer une nuit dans l'un des beaux hôtels locaux. Deux cafés sont renommés: le **café des Nattes** et le **café Chaabane**; tous deux vous offriront une vue enchanteresse sur la mer et le village.

Des boutiques de souvenirs colorient les rues étroites de Sidi Bou Saïd.

Excursions depuis Tunis

Deux importants sites archéologiques romains sont faciles d'accès depuis Tunis.

THUBURBO MAJUS

Cette ville romaine, à 60km au sud de Tunis, doit son nom au campement berbère dont elle occupe la position. Les ruines sont éparpillées dans les ondulations de la plaine, et fréquentées par des vendeurs de pièces de monnaie et de prétendus guides qui vous importuneront pour que vous achetiez leurs marchandises (invariablement des faux). La pièce maîtresse du site est le **temple capitolin** (169-192 apr. J-C) dont les imposantes colonnes dominent le forum. Ce temple recelait jadis une grande statue de Jupiter dont la tête et les mains sont visibles au Bardo. Du haut des marches, vous aurez une vue sur le reste du site: la rangée de colonnes en face et sur la droite délimite la **palestre des Pétronius**, le gymnase adjacent aux thermes d'été. Les **thermes d'hiver** se trouvent à gauche, avec leur portique et leurs salles aux colonnes en marbre coloré de Chemtou (au nord-ouest de la Tunisie).

DOUGGA

La ville romaine de Thugga (l'actuelle Dougga), à 100km au sud-ouest de Tunis, est l'un des sites romains les plus grands et l'un des mieux conservés d'Afrique. Les enthousiastes y trouveront de quoi occuper leur journée. Les visiteurs souhaitant y passer la nuit se rendront à l'hôtel de la ville voisine de Tebboursouk; les voyageurs ayant moins de temps donneront la priorité aux monuments suivants.

Dougga était, depuis plusieurs siècles déjà, une cité florissante, quand les Romains arrivèrent au IIe siècle apr. J-C. Mais c'est sous leur autorité qu'elle grandit et prospéra. Le parking est près d'un grandiose **théâtre** de 3500 places avec de belles colonnes corinthiennes qui dominent la scène surélevée. Au-delà du théâtre, la route conduit au splendide portique du **temple capitolin** qui surplombe la **place des Vents** – son nom vient d'une rose gravée dans le sol, qui porte les noms de douze vents.

Les ruines des **thermes de Lucinius** s'étendent au pied du capitole. La salle centrale, les piscines, les tunnels de service et le système hypocauste (chauffage par le sol) sont très

Dougga est l'une des villes romaines les mieux conservées d'Afrique du Nord.

bien conservés. En contrebas, une petite route pavée (remarquez les ornières creusées par les chariots) serpente jusqu'à

la **maison du Trèfle**. Ce bâtiment au nom charmant, avec sa cour centrale sur laquelle donne une pièce en forme de trèfle, était jadis un lupanar. Les **thermes des Cyclopes**, à côté, sont remarquables pour l'état de conservation de leurs latrines semi-circulaires.

Au pied de la colline surgit le monument le plus étrange et mystérieux de Dougga. Le **mausolée d'Ateban**, libyco-punique (IIIe siècle av. J-C), est un intéressant mélange des styles architecturaux libyen, égyptien, grec et perse et l'un des rares monuments préromains restant en Tunisie.

La côte nord

La côte septentrionale de la Tunisie borde la partie la plus étroite de la Méditerranée. La Sicile n'est distante que de 140km. La principale route maritime est-ouest passe par ce détroit et les marins ont façonné l'histoire de la région depuis des temps immémoriaux. Une bonne route quitte Tunis en direction du nord et du port de Bizerte, à 70km. À mi-chemin, une route secondaire conduit jusqu'aux ruines d'Utique (*Utica*).

Les Phéniciens qui suivaient souvent cette côte fondèrent **Utique** vers l'an 1100 av. J-C, à mi-distance de Tyr, leur port d'attache, et de leur entrepôt de Cadix. Si la mer arrivait autrefois jusqu'aux portes de la ville, les alluvions de la Medjerda l'ont peu à peu relégué à 10km à l'intérieur des terres. Un petit musée abrite les restes retrouvés dans ses tombes puniques. Près du musée, des ruines de villas et de voies romaines permettent de se faire une idée de ce qu'était Utique au temps de sa splendeur.

BIZERTE

Vous pénétrez dans Bizerte en passant un pont basculant, qui enjambe un canal navigable creusé dans les années 1890 pour relier les eaux salées du lac de Tunis à la mer. Le premier canal fut creusé à cet endroit par les Phéniciens, leur donnant ainsi accès à cette rade naturelle, qui fut tour à tour utilisée par les Romains, les Byzantins, les Arabes, les Turcs puis les Français. Son importance stratégique en fit l'objet de nombreux combats; le dernier en date remonte au début des années 1960, quand les Français, après la proclamation de l'Indépendance en 1956, voulurent conserver leur base militaire de Bizerte. En 1961, cette volonté déboucha sur un affrontement meurtrier avec les forces tunisiennes, qui fit 1300 morts parmi la population locale.

Lorsque les Français se retirèrent en 1963, l'active base militaire et navale de Bizerte se métamorphosa en une ville touristique et un port industriel. Moderne sous bien des aspects, Bizerte a conservé les vestiges de son attirant passé. Le **Vieux Port** est le quartier le plus séduisant de la cité, une

La médina de Bizerte s'étend autour du séduisant quartier du Vieux Port.

rade tranquille remplie de bateaux de pêche colorés et bordée des maisons de la médina blanchies à la chaux. L'entrée du port est gardée, d'un côté, par la massive **casbah** et, de l'autre, par le **fort el Hani**. Ce dernier abrite un petit musée océanographique; un plaisant café est installé sur le toit.

Dominant la ville, le **fort d'Espagne** est un témoin de l'époque des pirates, lorsque les corsaires turcs échappaient à leurs poursuivants en se retranchant derrière ses murs imprenables. Le minaret octogonal de la **Grande Mosquée**, à l'extrémité du port, est un autre rappel du passé turc.

La **Corniche**, qui s'étire de l'entrée du Vieux Port vers le nord, est un ruban de sable doré, long et étroit, bordé de bons hôtels et de restaurants de poisson qui méritent le détour.

Sis à la pointe de la longue péninsule sablonneuse à l'est de Bizerte, **Ghar el Melh** est un autre port de pirates, qui a

Liège et corail

Le bouchon de bouteille qui emprisonne le vin tunisien est un fragment de l'écorce d'un arbre, le chêne-liège (*quercus suber*), originaire de la Méditerranée occidentale. Celui-ci croît en abondance sur les collines qui entourent Aïn Draham, au sud de Tabarka. Le liège est prélevé en détachant du tronc l'écorce épaisse et spongieuse; celle-ci se reformant, l'opération peut être renouvelée tous les huit à dix ans.

À Tabarka, les souvenirs les plus prisés sont les bijoux réalisés avec le corail pêché au large de la côte nord. La matière calcaire du polypier est exploitée depuis des siècles en bijouterie. Elle peut être jaune, pourpre, rouge ou bien rose – une variété précieuse qui a fait la renommée de la Tunisie. Le corail, arraché à la mer depuis des siècles, est aujourd'hui une espèce en voie de disparition.

conservé plusieurs forteresses et mosquées turques du XVIIe siècle. L'allée qui conduit au *koubba* (dôme) voisin de **Sidi Aalu el Mekki** longe une fort jolie plage; celle de **Raf-Raf** est tout aussi belle.

LA CÔTE DE CORAIL

À l'ouest de Bizerte, la route reste à l'intérieur des terres; ainsi, la côte est demeurée intacte, sauvage, offrant une succession de plages de sable, que séparent ici et là des promontoires rocheux, sur un fond de maquis et de forêts de chênes, d'eucalyptus et de genévriers. Les quelques villages vivaient autrefois du corail qui croissait au large; pendant des siècles, celui-ci fut récolté par des plongeurs. Aujourd'hui espèce menacée, sa pêche est soumise à de sévères restrictions.

Le **cap Serrat** est le cadre idéal pour pratiquer la natation, la pêche et la plongée; malheureusement, les routes qui le desservent laissent à désirer. À **Sidi Mechrig**, plus à l'est, la plage est dominée par les ruines de thermes romains,

tandis qu'au **cap Negro**, vous verrez les restes d'un comptoir fondé par la France au XVIe siècle pour la pêche au corail. De retour sur la route Bizerte-Tabarka, vous passerez la ville minière de **Sedjenane**, connue pour ses figurines naïves et insolites, vernissées de brun et de noir. Si l'islam interdit la représentation de la personne humaine, les hommes et les femmes artisans refusent de renoncer à cette tradition berbère païenne millénaire.

TABARKA

Le petit port de Tabarka, protégé par une île, somnole toute une partie de l'année. Comptoir commercial fondé par les Phéniciens en 800 av. J-C, son port fut ensuite utilisé par les Romains pour l'exportation du marbre rouge et jaune de Numidie, extrait à Chemtou, à 90km au sud. Au XVIe siècle, le port fut fréquenté par le pirate Barberousse (voir p.16) qui racheta la liberté de son compagnon boucanier Dragut en donnant l'île de Tabarka à Charles Quint. Ce dernier, à **43**

Les extravagants rochers des Aiguilles dominent le paisible port de Tabarka (à droite).

son tour, la céda à une famille génoise qui y fit construire le fort couronnant le point culminant de l'île.

L'unique rue – appelée avenue Bourguiba – se prolonge par une promenade, proche de la route qui relie aujourd'hui l'île à la ville. La promenade continue jusqu'aux **Aiguilles**, une pittoresques série de pics de grès, sculptés par l'érosion en des formes curieuses. La

basilique, qui domine la place centrale, est en fait une citerne romaine aménagée en église au cours du XIXe siècle; elle a été par la suite transformée en un petit musée.

Tout au long de l'été, la ville est le pôle d'attraction d'une foule de touristes, qui viennent profiter de la beauté de la plage et des collines boisées, et pratiquer la plongée sous-marine. Un nouveau complexe touristique, nommé **El Monta-zah**, proposant hôtels, appartements, ainsi qu'un aéroport, a été édifié à l'extrémité est de la plage, à environ 4km de la ville, et menace de troubler la tranquillité de ce petit coin de pays au riche passé historique. De plus, une marina, avec appartements de vacances, restaurants, boutiques et un club de plongée, a été aménagée à proximité du port.

Le minuscule archipel volcanique de **La Galite**, qui est situé à environ 50km au large, abrite une colonie de phoques de la Méditerranée, une espèce menacée. Ces îles sont une réserve naturelle et sont interdites au public.

La région de Tabarka, recouverte de denses forêts de chênes-lièges, d'eucalyptus et de pins, évoque davantage les paysages d'Europe que ceux d'Afrique. La pittoresque station d'altitude d'**Aïn Draham** (située à 24km au sud) a elle aussi un air européen, avec ses maisons blanches aux tuiles rouges; ce décor familier n'est pas le fruit du hasard, mais le résultat d'une volonté française de recréer l'atmosphère d'un village alpin. La station jouit de la faveur des touristes, étrangers et tunisiens, qui apprécient son air, ses vivifiantes promenades en forêts, et les sources chaudes voisines.

En s'avançant plus profondément vers le sud, les ruines de la ville romaine de **Bulla Regia**, qui se trouvent à 60km de Tabarka, méritent le détour. Vous pourrez y explorer une série unique de **villas souterraines** et y admirer *in situ* de superbes sols en mosaïques – les plus belles exécutions que l'on puisse voir en dehors du musée du Bardo.

La péninsule du cap Bon

La péninsule du cap Bon, qui s'avance telle une langue de terre dans la Méditerranée, sépare le golfe de Tunis, au nord, et le golfe d'Hammamet, au sud. Cette région fertile accueille des fermes, des vergers et des vignobles, et quelques-unes des plus célèbres stations balnéaires de Tunisie.

Ces pots viennent probablement de Nabeul, la capitale artisanale du cap Bon.

HAMMAMET

La bande de sable doré qui relie Hammamet à Nabeul est l'une des plus belles du pays: une mer turquoise, tiède et peu profonde, se détachant sur un fond de palmiers, d'orangers et de jasmin. Hammamet, à la pointe sud, était un paisible village de pêcheurs jusqu'à sa «découverte» dans les années 1920 par un millionnaire roumain, Georges Sébastian, qui y construisit sa luxueuse villa à proximité de la plage. D'autres le suivirent et Hammamet se transforma ainsi en station de renommée internationale, avec 60 hôtels répartis le long de la côte. Par bonheur, ce développement à été mené avec discernement et la côte a échappé au raz de marée de béton qui a ravagé la Costa del Sol dans les années 1960 et 1970: les hôtels ont été construits en retrait de la plage, et rares sont ceux dont le toit s'élève au-dessus des palmiers. La résidence bâtie par les Sébastian est au-

jourd'hui un **Centre culturel international**, présentant des expositions, divers concerts et des conférences durant la saison estivale.

La ville est ravissante, avec des maisons blanches alignées avec soin le long des rues bien balayées, et un attrayant marché. Les promeneurs peuvent se détendre dans de nombreux restaurants, cafés et boutiques. Au sud de la ville, près de la plage, se dresse la minuscule **médina** avec, au coin nord-ouest, les murs élevés de la **casbah**. Jadis occupée par des garnisons musulmanes, puis par la Légion étrangère, ses remparts offrent un bon panorama sur la ville et la plage. Dans leur ombre protectrice se blottissent les rues étroites de la médina, où, en vous glissant entre les boutiques de souvenirs, vous parviendrez peut-être à trouver le chemin de l'antique «porte de la Mer».

Découvrez les belles plages d'Hammamet en faisant une promenade à dos de chameau.

NABEUL

Nabeul est la capitale administrative de la région du cap Bon et la capitale tunisienne de la **poterie**. Des centaines d'ateliers produisent un large éventail d'objets, émaillés ou non, allant des pots et des bols utilitaires aux vases ornementaux. Les panneaux de **faïence polychrome**, spécialité de Nabeul, sont remarquables. En général, les motifs traditionnels représentent des fleurs ou des cyprès stylisés avec une bordure à motifs, dans des tons vifs de bleu, de vert et de jaune – on doit ces dessins aux réfugiés andalous qui s'installèrent dans la région au XVIIᵉ siècle.

Dans les rues, vous pourrez observer d'autres activités artisanales, dont la distillation de **parfums** (fleur d'oranger, jasmin), la **gravure sur pierre** et la **broderie d'or et d'argent**. Faites un petit détour par la **boutique de l'Artisanat** pour apprécier la variété et la qualité de la production locale et vous faire une idée des prix avant de marchander. Ne ratez pas le **marché aux chameaux**

Les plages d'Hammamet vous invitent à parcourir en bateau leurs courbes harmonieuses.

qui vend, outre ces animaux, toutes sortes de produits et objets de la région. Hormis les souvenirs et promenades à dos de chameau pour touristes, ce marché offre un bon aperçu de la vie en Tunisie.

AUTOUR DU CAP BON

De nombreux sites sont faciles à atteindre depuis les stations de Nabeul et Hammamet. Une bonne route, qui relie la pointe nord de la péninsule avant de longer la côte ouest, dessert la plupart d'entre eux.

Des plages superbes se succèdent, vers le nord, jusqu'à la ville de **Kélibia**, dont le port de pêche est dominé par une imposante forteresse; la vue est splendide depuis les remparts byzantins du VIᵉ siècle. Faites une pause sur le port, le temps d'un déjeuner de fruits de mer, ou dans les criques ro-

cheuses de Mansoura, au nord, et savourez le muscat sec de Kélibia, un vin blanc léger, demi-sec et rafraîchissant.

À **Kerkouane**, les vestiges de la ville punique (Ve siècle av. J-C) sont parmi les mieux conservés de tous les sites carthaginois. Les maisons sont renommées pour leurs petites baignoires décorées de stuc rose et incrustées d'éclats de marbre blanc. Le village d'**El Haouaria**, à la pointe de la péninsule, offre deux attractions: une caverne de chauves souris et un centre de fauconnerie. Non loin de là, à **Sidi Daoud**, se déroule chaque année une pêche au thon, la *Matanza*: les pêcheurs piègent les thons en migration dans des filets jetés depuis la rive. Cette cérémonie séculaire a lieu entre les mois de mai et de juillet.

Une superbe route en lacets descend des collines jusqu'à **Korbous**, ville connue depuis les Romains pour ses thermes et ses sources chaudes. Hôtels et établissements de cure se concentrent dans un étroit vallon proche de la mer; vous pourrez y boire un ou deux verres d'eau sulfureuse, ou y suivre une cure thermale. **49**

Le Sahel

La côte centrale de la Tunisie porte le nom de Sahel (ce qui veut dire «littoral»). Polarisée autour des villes de Sousse et de Monastir, la région attire chaque année des milliers de touristes grâce à la beauté de

*S*eule la cour de la Grande Mosquée de Sousse est accessible aux visiteurs non-musulmans.

ses plages, à la qualité de ses hôtels et à ses sites historiques. La superbe campagne environnante, qui présente une belle mosaïque d'oliveraies et de champs de blé, est parcourue çà et là par des troupeaux de moutons. Chacun des villages qui émaillent la région est fier de sa spécialité: tissage, broderie ou joaillerie. De la côte, on accède facilement à la ville sainte de Kairouan ainsi qu'au magnifique amphithéâtre romain d'El Djem.

SOUSSE

Capitale du Sahel, Sousse est la troisième ville du pays par la taille, après Tunis et Sfax. C'est un centre commercial et industriel actif, et un grand port, mais le côté travailleur de la cité n'atteint pas l'atmosphère détendue de la médina et du bord de mer. Au nord de la ville, un ruban de sable doré ponctué d'hôtels s'étire sur des kilomètres jusqu'à la marina de port El Kantaoui.

Tenue par les Carthaginois, les Romains, les Vandales puis les Byzantins, Sousse capitula, après deux mois de siège devant Oqba ibn Nafi, redoutable général arabe qui conquit le Maghreb au VIIe siècle (voir p.14). Pour la punir de sa résistance, les forces d'Oqba pillèrent la ville avec brutalité. Presque toutes traces de civilisation antérieure disparurent, et si, aujourd'hui, Sousse est fière de sa belle collection de monuments islamiques, on n'y trouve que peu de vestiges romains ou puniques.

Partant de la plage, l'**avenue Habib-Bourguiba** mène à la place Farhat Hached, près de la médina; l'avenue est bordée de boutiques, cafés, bureaux, hôtels et cinémas.

Juste à l'entrée de la médina s'élève la **Grande Mosquée**, datant du IXe siècle (ouverte de 9h à 13h, sauf le vendredi). Sa façade, avec ses remparts, tours d'angle et créneaux, lui donne un air de forteresse. À l'intérieur, d'harmonieuses arcades bordent la cour pavée de marbre clair, tandis qu'au fond de celle-ci, des piliers doubles indiquent l'entrée de la salle de prières (interdite aux non-musulmans, mais visible à travers ses portes ouvertes). Vous constaterez l'absence de minaret: à l'origine, le *muezzin* appelait à la prière du haut de la tour de guet du *ribat* voisin.

Ce **ribat** est un monastère fortifié du VIIIe siècle où vivait autrefois une communauté de guerriers musulmans dévots qui observaient une règle de vie très stricte – l'équivalent islamique des Chevaliers du Temple. Piété et bravoure étaient leurs mots d'ordre, et ils s'efforçaient d'être aussi ardents dans les batailles que **51** humbles dans la prière. Un portail voûté conduit à la cour où donnent les cellules des soldats. Des marches mènent à une petite salle de prières, tandis qu'un oppressant escalier en colimaçon grimpe jusqu'au sommet de la tour d'observation. Le **panorama** que l'on y découvre vaut l'effort de l'ascension. Vous pouvez plonger le regard dans la cour de la Grande Mosquée, mais également apercevoir, au-delà des toits de la médina, les massives murailles de la casbah.

La rue d'Angleterre, traversant le souk, conduit à l'extrémité de la médina, d'où l'on peut grimper, à droite, vers la **casbah** et la tour Khalaf (qui fait office de phare). La casbah accueille le **Musée archéologique de Sousse** et son excellente collection de mosaïques romaines. Notez, à droite en entrant dans la première cour, une étonnante tête de Méduse à la chevelure de serpents, sur un fond de plumes de paon. La salle du fond présente d'autres mosaïques, encore plus spectaculaires. À gauche de la porte, vous admirerez le bassin semi-circulaire représentant Neptune, dieu de l'Océan, les cheveux grouillant de crabes et de homards, des filets d'eau jaillissant de sa bouche, et entouré de poissons, de coquillages et de pieuvres.

Un petit passage vous conduira à un jardin ombragé orné de fragments de sculptures. Dans les salles que vous traverserez, vous pourrez admirer quelques-unes des plus belles mosaïques du musée, notamment un sol de salle à manger illustré des reliefs d'un repas: arêtes, os, pinces de homard, coquilles vides et trognons (la commande d'un Romain plein d'humour). Un autre sol représente quatre bestiaires combattant des animaux sauvages, et des gladiateurs affrontant des léopards (une inscription précise que chaque gladiateur reçut 5000 *denarii* – deniers d'or – du citoyen Magerius en récompense de son habileté). Ces mosaïques de salle à manger sont caractérisées par leur forme en T: les tables étaient disposées sur trois côtés pour que les esclaves puissent faire le service depuis le centre.

MONASTIR

L'histoire de Monastir rappelle celle de Sousse. Un *ribat* du IXe siècle et une Grande Mosquée témoignent de son riche passé. Mais, à la différence de Sousse, la ville de Monastir a été submergée par le tourisme et de nos jours, elle ressemble plus à une ville moderne qu'à un port historique. Elle n'en reste pas moins une station très agréable, offrant aux visiteurs une plage abritée, une marina et plusieurs hôtels «face à la mer» en plein centre-ville.

L'imposant **ribat**, datant du IXe siècle, domine le port et la ville. Ajouts et restaurations ont, au fil des siècles, créé un ensemble de murs crénelés et de tourelles, de cours à ciel ouvert et de cellules. L'ancienne salle de prières abrite un petit musée d'art islamique où sont exposés des broderies, des objets en bois et en verre, ainsi

L'imposante tour vigie du ribat de Sousse servait autrefois de minaret à la mosquée voisine.

que des calligraphies. Du haut du *nador* (une tour d'observation), on jouit d'une vue panoramique sur la ville. Tout près du *ribat,* la **Grande Mosquée** (IXe-XIe siècles) surgit, à la fois simple et vénérable.

Pour les Tunisiens, Monastir est surtout la ville natale de

l'homme qui donna, en mars 1956, l'indépendance au pays: Habib Bourguiba (voir p.18). La **mosquée Bourguiba**, à la lisière de la médina, fut érigée en l'honneur de sa famille et, bien que récente (1963), ses lignes harmonieuses et sa riche décoration sont dignes d'admiration. Les différents éléments ont été empruntés à toutes les périodes de l'architecture tunisienne. Faites-en le tour pour atteindre l'entrée située à la base du minaret et, à travers les fenêtres en fer forgé, jetez un coup d'œil à la cour. Depuis le parc du *ribat*, une imposante avenue conduit au **mausolée Bourguiba**, un bâtiment très orné, surmonté d'une coupole et entouré par des minarets jumeaux aux faîtes dorés.

KAIROUAN

La ville sainte de Kairouan est le centre islamique le plus important d'Afrique du Nord. C'est le lieu que choisit Oqba ibn Nafi, en 670, comme base de la conquête arabe du Maghreb, l'endroit où il fit vœu de bâtir une «citadelle islamique

pour l'éternité». Au IXe siècle – l'«âge d'or» de la Tunisie –, la dynastie aghlabide fit de Kairouan la capitale de tout le Maghreb. La ville se transforma en l'un des grands centres commerciaux, religieux et culturels de l'Islam, avant d'être pillée par Beni Hilal en 1057. Elle est encore révérée comme la cité la plus sainte de l'Islam. (Le nom de «Kairouan» signifie «caravane» et évoque le camp qu'elle était à l'origine.)

Kairouan est située à environ 60km de la côte, au milieu d'une plaine semi-aride vouée à la culture de l'olivier et à l'élevage du mouton. Le nouvel office du tourisme est situé sur la route de Tunis, en face de l'hôtel Continental et à côté des **bassins des Aghlabides**. Ces immenses citernes semi-circulaires d'eau limpide sont des réservoirs à ciel ouvert datant du IXe siècle. Créés par les gouverneurs aghlabides, ils

*N*e manquez pas de jeter un œil à l'ornementation de la mosquée du Barbier, à Kairouan.

sont alimentés depuis les collines à l'ouest par un aqueduc long de 35km. Vous pouvez acheter une billet pour tous les monuments de Kairouan auprès de l'office du tourisme.

Partez des bassins des Aghlabides et suivez la rue principale pour rejoindre la **zaouïa de Sidi Sahab**, dite aussi **mosquée du Barbier**, célèbre pour la beauté de ses décors en céramique. Sidi Sahab était un proche du Prophète; l'endroit de son dernier repos est un site sacré et un lieu de pèlerinage.

La rue qui fait face aux bassins des Aghlabides part vers la médina; après avoir dépassé le mur de la casbah, tournez à gauche et marchez 5min pour atteindre la Grande Mosquée. Monument le plus célèbre et le plus vénérable de la ville, la **Grande Mosquée** ressemble à une forteresse, avec ses hautes murailles et ses portiques fortifiés, aisés à défendre. La première mosquée élevée sur ce site le fut par Oqba ibn Nafi en 671; la Grande Mosquée actuelle date du IXe siècle. Les visiteurs peuvent jeter un coup **56** d'œil à la grande **cour** pavée

de marbre, à la colonnade qui en fait le tour et aux sept puits dont les margelles sont usées par mille ans de frottement. À travers les portes ouvertes, admirez les plaques de faïence à reflets métalliques du *mihrab* (niche de prière) et la forêt de colonnes en marbre et en porphyre de la salle de prières, interdite aux non-musulmans. Le **minaret** carré est le plus vieux d'Afrique du Nord; ses parties basses proviennent de ruines romaines. Après avoir vu la cour, faites le tour du périmètre de la mosquée, en évitant si possible les marchands de tapis. Percé dans le mur le plus éloigné, le **Bab Lalla Rihana** est le plus élégant portail de la mosquée.

Les murs de la ville au-delà de la casbah se prolongent jusqu'à la Bab et Tounes (porte de Tunis), la grande entrée de la **médina** de Kairouan. La rue principale, qui passe au centre-ville, est bordée par les souks tout festonnés de ces superbes **tapis**, célèbres dans la Tunisie entière pour leurs motifs aux couleurs vives. Par les portes ouvertes, on aperçoit, en pas-

sant, des femmes penchées sur des métiers à tisser rudimentaires, tandis que dans la rue, sur des éventaires, s'entassent une multitude d'écheveaux de laine aux couleurs gaies – la laine constitue la matière première des tapis.

Au cœur de la médina, dissimulé à l'intérieur d'un petit immeuble anonyme, se trouve le **Bir Barouta** (puits de Barouta). L'eau est remontée par un mécanisme actionné par un chameau aux yeux bandés qui tourne en rond toute la journée. Voici près de trois siècles

Grenades à gogo – les étals des marchés tunisiens regorgent de couleurs vives.

que ce système particulier de pompage fut mis en place.

Il est impossible de quitter Kairouan sans avoir goûté aux **maqroudh**, ces bouchées savoureuses fourrées de pâte de dattes et gorgées de miel. Vous pourrez vous en procurer facilement dans les nombreuses pâtisseries de la médina. **57**

SBEITLA (*Sufetula*)

Peu de spectacles, en Tunisie, évoquent autant une gloire passée que le site de Sufetula, où les vestiges de temples majestueux s'embrasent sous le soleil matinal. Ces ruines fascinantes sont situées non loin de la ville moderne de Sbeitla, à 120km au sud-est de Kairouan. On connaît peu son histoire; Sbeitla fut probablement construite par les Romains à l'époque du Christ; les Byzantins leur succédèrent et y élevèrent plusieurs églises.

Les vestiges les plus manifestes sont ceux des **temples capitolins** qui dominent le forum. Suivant la tradition romaine, le temple central était consacré à Jupiter, les temples latéraux à Junon et à Minerve.

Jeux de mort

Les combats de gladiateurs étaient très populaires sous l'Empire romain, comme en témoigne la taille impressionnante des amphithéâtres tel celui d'El Djem. Les combattants étaient généralement des esclaves ou des condamnés, mais ceux qui sortaient victorieux de la lutte en faisaient souvent leur profession. Le plus célèbre d'entre eux reste Spartacus, ancien esclave qui tint l'armée romaine en échec de 73 à 71 av. J-C.

Le jour de la rencontre, les participants paradaient dans l'amphithéâtre et saluaient le magistrat qui présidait le combat: «*Ave ! Morituri te salutan !*» («Ceux qui vont mourir te saluent !»). Parmi les combattants, on distinguait les rétiaires (armés d'un filet et d'un trident), les Thraces (à la sabre courbe), les Samnites (à l'épée et au bouclier rond).

À la fin du combat, le vaincu, gravement blessé, levait l'index pour demander grâce. Si la foule agitait des mouchoirs, il était épargné; si, en revanche, les pouces étaient pointés vers le bas, sa dernière heure était venue.

Dans les trois temples, on peut encore voir, dans le mur du fond, les niches qui abritaient autrefois les statues.

Une autre attraction importante est la **basilique byzantine de Vitalis**; elle comporte de magnifiques fonts baptismaux décorés de mosaïques et d'une inscription latine.

EL DJEM

À mi-chemin entre Sousse et Sfax, El Djem se dresse au milieu d'une plaine recouverte de milliers d'oliviers. Ce site accueillait, au IIe siècle av. J-C, la prospère ville romaine de Thysdrus, qui s'enrichissait en vendant sa récolte d'huile aux marchands de Rome.

L'impressionnant amphithéâtre d'El Djem domine les oliveraies environnantes.

En arrivant à El Djem par la route, on ne peut que remarquer la principale attraction. En effet, l'**amphithéâtre romain**, qui fut construit au IIIe siècle apr. J-C, se dresse avec majesté au-dessus des maisons basses de la ville moderne. D'où que vous veniez, la vue de cet imposant monument est très impressionnante. Ce colisée, l'un des plus grands amphithéâtres du monde romain, pouvait accueillir 30 000 spectateurs; il prêta son cadre à de **59**

très nombreux spectacles sanglants. Après le déclin de Thysdrus, l'amphithéâtre servit de forteresse à des bandes de brigands. En 1695, le bey turc en fit bombarder les murs pour déloger les rebelles antigouvernementaux qui s'y retranchaient. Les destructions qui en résultèrent, en mettant à nu les détails intérieurs de la construction – arches, caves, piliers, escaliers et chambres souterraines – font le bonheur du touriste d'aujourd'hui.

Thysdrus était une ville vivante et prospère, quasiment quatre fois plus importante que l'actuelle El Djem. Des mosaïques étonnantes, à présent exposées dans un petit **musée** situé à la lisière de la ville, sur la route de Sfax, témoignent de son opulence. Tigres, lions, coquillages, oiseaux et paons sont brillamment illustrés dans des scènes colorées. Une importante mosaïque, particulièrement saisissante, représente le jeune Dionysos, vêtu d'une peau de léopard et chevauchant une tigresse.

Située à 65km au sud d'El Djem, **Sfax**, la deuxième ville tunisienne par la taille (après Tunis), est un important centre industriel et commercial. Sfax possède une médina très animée, sertie dans de beaux remparts crénelés; elle abrite aussi un intéressant musée archéologique. C'est de son port que part le transbordeur à destination des charmantes et reposantes **îles de Kerkenna**.

Djerba

Que vous empruntiez le petit ferry de Jorf ou que vous arriviez d'El Kantara par la digue, vous ne manquerez pas d'être frappé par l'absence de relief de Djerba. L'île offre un paysage sec et sablonneux, avec des oliviers, des arbres fruitiers et des palmiers dattiers. Les maisons cubiques des villages sont coiffées d'un dôme hémisphérique, tandis que les champs irrigués sont piquetés d'hommes et de femmes en chapeaux de paille et de chameaux attelés à des charrues.

Djerba doit ses particularités à sa position géographique. Située au sud de la Tunisie,

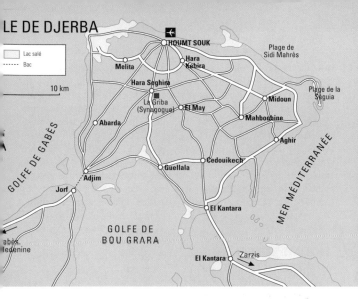

LE DE DJERBA

Lac salé
Bac

10 km

HOUMT SOUK

Plage de
Sidi Mahrès

Melita

Hara
Kebira

Hara Seghira

La Griba
(Synagogue)

El May

Plage de la
Séguia

Midoun

Mahboubine

Abarda

Aghir

Guellala

Cedouikech

GOLFE DE GABÈS

MER MÉDITERRANÉE

Jorf

Adjim

El Kantara

GOLFE DE
BOU GRARA

abès,
Medenine

El Kantara

Zarzis

près de la frontière avec la Libye, l'île dort dans des eaux tièdes et peu profondes, au large de la côte. La terre reçoit moins de 200mm de précipitations par an; les dattes, de médiocre qualité, ne servent qu'à nourrir les chameaux, et seule l'eau tirée des centaines de puits et citernes qui émaillent le paysage permet aux récoltes d'arriver à terme. Mais le climat chaud et sec, et les kilomètres de plages de sable blanc, font de l'île un paradis pour les amoureux du soleil.

Et toute l'année, des flots de touristes prennent d'assaut les hôtels de la côte nord.

Djerba prétend, comme Majorque et Minorque, être l'île des lotophages de l'*Odyssée* d'Homère. Légende mise à part, les premiers habitants de l'île furent sans doute des juifs fuyant la destruction de Jérusalem au VIe siècle av. J-C. Leurs descendants habitent les villages de Hara Kebira et de Hara Seghira. Puis les Phéniciens et les Romains colonisèrent l'île et y construisirent **61** une digue qui la relie au continent (à l'est de la digue actuelle). Puis, conquise par les Arabes en 655, elle fut durant le Moyen Âge disputée par les Siciliens, les Normands et les Hafsides. Dragut Ali et les pirates barbares y installèrent une base au XVIe siècle (voir p.16). Elle fut finalement rattachée à la Tunisie pendant la période ottomane (voir p.17).

HOUMT SOUK

Houmt Souk, la «capitale» de l'île – avec hôtels, banques, agences de voyages, agences de location de voiture et de compagnies aériennes, restaurants et boutiques – n'est guère plus qu'un gros bourg. La ville est regroupée autour du **souk**, dédale de ruelles et de petites places blanchies à la chaux où les produits locaux – poteries, nattes, corail, bijoux – s'entassent en piles sur les étals.

Le **musée des Arts et Traditions populaires** se trouve à la limite de la ville, sur la route du quartier des hôtels. Cette *zaouïa* de Sidi Zitoun (XVIIIe siècle), sise dans un joli jardin, a été aménagée pour abriter les richesses folkloriques de l'île. Dans la première salle sont exposés les costumes traditionnels insulaires et ceux revêtus à l'occasion de cérémonies importantes, telles que mariages et circoncisions. Les bijoux anciens, la céramique, la menuiserie, la sculpture sur bois et les manuscrits coraniques exposés témoignent de l'habileté des artisans locaux. Le musée est ouvert de 9h à midi et de 15h à 18h30 tous les jours, sauf le vendredi.

Au bord de la mer se dresse une forteresse du XVe siècle, le **Borj el Kebir** (grand fort), bâti par le Sicilien Roger de Lauria sur le site d'un fort du XIIIe siècle et d'une ancienne structure romaine. Il fut occupé, tour à tour, par les Espagnols, les Hafsides, les Turcs puis, au XVIe siècle, par les pirates Barberousse et Dragut Ali (voir p.16).

Guellala, sur l'île de Djerba, est surtout célèbre pour ses ateliers de poterie.

Durant le massacre de 1560, resté tristement célèbre, Dragut et ses hommes prirent la forteresse d'assaut puis exécutèrent tous les Espagnols qui s'y étaient réfugiés. En commémoration de la victoire, le pirate Dragut fit ériger une tour avec les crânes et les os de ses victimes; ce macabre monument fut finalement détruit sur l'ordre du bey de Tunis en 1848. Un obélisque de béton dressé au milieu du parc de stationnement, à côté du fort, en marque l'emplacement.

AUTRES CURIOSITÉS DE L'ÎLE

Situées à l'est de Houmt Souk, les meilleures plages de l'île – **Sidi Maharès**, **Sidi Garous** et **La Séguia** – forment un ruban de 20km de long, uniquement interrompu par les rochers de Ras Taguerness. Ce promontoire rocheux, couronné par un phare, est idéal pour la plongée et la pêche sous-marine.

À environ 8km au sud de Houmt Souk se trouve le plus vieux sanctuaire de l'île, la synagogue d'**El Ghriba** (direction village d'Er Riadh, puis suivez les panneaux jusqu'à El Ghriba). L'actuelle synagogue date des années 1920, et, selon la légende, elle aurait été érigée à l'emplacement même où une pierre sacrée tomba du ciel en 600 av. J-C; El Ghriba est un lieu de pèlerinage pour la communauté juive d'Afrique du Nord. Un vieux sage chétif vous fera visiter le sanctuaire, la partie la plus ancienne de la synagogue, dont certaines fondations remontent au Ve siècle av. J-C, et vous autorisera à jeter un œil sur l'une des plus vieilles torahs du monde. Il faut se déchausser et se couvrir pour y entrer (la synagogue est fermée aux visiteurs durant les offices du samedi matin).

Guellala, au sud de l'île, est la capitale de la poterie djerbienne. Les ruelles du village sont bordées de fours, d'ateliers et de modestes fabriques. Des enseignes invitent les passants à entrer. Un large éventail de la production locale vous sera présenté et l'on fabriquera, sur votre demande, le vase ou le récipient dont vous rêvez. Les doigts agiles des maîtres potiers façonnent aussi des ustensiles ménagers en poterie vernissée. La céramique est le fondement de la vie de Guellala. Ici, pas de gaspillage: les vases brisés ou défectueux, récupérés, servent à la construction de murs, fours, barrières ou abris de jardin.

Midoun, la seconde agglomération de Djerba, est surtout une ville marchande, particulièrement animée le vendredi, jour de marché. Une autre attraction hebdomadaire est le «mariage berbère», célébré le mardi pour les touristes.

Guide des hôtels et restaurants de Tunisie

Hôtels recommandés

Notre sélection s'adresse aux visiteurs indépendants et à ceux faisant partie de voyages organisés, et s'attache plus particulièrement aux principales villes-étapes de Tunisie. Les hôtels suivants sont généralement bien signalés.

La classification officielle (voir p.119) est indiquée après le nom de chaque établissement (*s/c: sans classification*). Pour vous guider dans votre choix, les symboles suivants indiquent le prix, en haute saison, d'une chambre double avec bain, petit déjeuner compris.

▋▋▋▋	plus de 50 DTU
▋▋▋	de 30 DTU à 50 DTU
▋▋	de 20 DTU à 30 DTU
▋	moins de 20 DTU

BIZERTE

Continental (s/c) ▋
29 rue du 2 Mars 1934
Tél. (02) 431844
Peu coûteux, au centre de la ville nouvelle de Bizerte. Salle de bains commune, avec douche chaude.

Corniche (***) ▋▋-▋▋▋
Route de la Corniche
Tél. (02) 231844
Hôtel sans caractère, mais confortable. Accueil aimable, bon restaurant et piscine.

Petit Mousse (**) ▋▋
Route de la Corniche
Tél. (02) 432185
Petit hôtel familial accueillant, surplombant la plage. Excellent restaurant (voir p.70). Chambres avec balcon et vue sur la mer. Réservation conseillée en été.

CAP BON

Bellevue (**) ▋▋-▋▋▋
Avenue Assad-ibn-el-Fourat
Hammamet
Tél. (02) 281121
Hôtel moderne à l'est de la ville. Nombreuses chambres avec balcon et vue sur la mer. Bruyant.

Florida (*) ▋
Avenue des Martyrs, Kélibia
Tél. (02) 296248
Petit établissement calme et charmant, près du port. Chambres ou bungalows, avec salle de bains. Excellent restaurant de poisson.

Sahbi (**)

Avenue de la République
Hammamet
Tél. (02) 280807
Chambres spacieuses et claires –
demandez-en une qui donne sur la
terrasse. Réservation conseillée.

DJERBA

Arischa (*)

36, rue Ghazi-Mustapha
Houmt Souk
Tél. (05) 650384
Ancien *fondouk* (auberge pour les
marchands ambulants); jolie cour
toute drapée de treilles, avec un
puits où s'abreuvaient les chameaux des voyageurs. Bar animé.

Marhala (s/c)

Rue Moncef-Bey, Houmt Souk
Tél. (05) 650146
Fondouk aménagé par le Touring
Club de Tunisie en un hôtel simple, mais plein de caractère. Les
chambres donnent sur une jolie
cour. Salle de bains commune.

Tanit (**)

Ras Taguerness
Tél. (05) 657132
Hôtel à la clientèle familiale, situé
à l'extrémité est de l'île. Chambres confortables dans des pa-
villons. Près de la plage. Piscine et
restaurant. Sports nautiques.

DOUGGA

Thugga (**)

Route de Tunis, Tebboursouk
Tél. (08) 665713
Hôtel confortable. Dans la cour
ancienne, les chambres sont joli-
ment voûtées.

KAIROUAN

Continental (****)

Avenue El-Moizz-ibn-Badis
Tél. (07) 221135
Le plus grand et le plus chic hôtel
de Kairouan, très fréquenté par les
voyages organisés. Belle piscine.

Splendid (***)

Rue du 9 Avril
Tél. (07) 220041
Décoré de céramiques. Chambres
spacieuses. Bon restaurant.

Tunisia (**)

Avenue Farhat-Hached
Tél. (07) 221855
Chambres confortables, avec salle
de bains. Pas de restaurant.

MATMATA

Marhala (s/c)

Tél. (05) 630015
Excellent hôtel souterrain. Petites
chambres. Toilettes et douches
communes. Bar, restaurant.

67

Matmata (**)

Tél. (05) 230066
Chambres confortables; piscine, café-bar et restaurant.

MÉTAMEUR (près de Médenine)

Les Ghorfas (s/c)

Tél. (05) 640294
Ksar converti en hôtel. Chambres petites, simples et confortables. Le propriétaire organise des excursions aux *ksour* des environs.

MONASTIR

Festival (****)

Skanes-Monastir
(03) 467555
Hôtel chic, proche de l'aéroport. Excellente cuisine, personnel prévenant, grandes chambres.

Regency (****L)

Port de Plaisance
Tél. (03) 460033
Le plus bel hôtel de Monastir; chambres donnant sur la marina, en contrebas du *ribat*. Cher en été, prix avantageux en basse saison.

Yasmin (*)

Route de la Falaise
Tél. (03) 462511
Petit hôtel familial attrayant, au nord de la ville. Chambres petites, mais confortables, avec salle de bains commune. Bon restaurant.

SOUSSE

Kanta (****)

Port El-Kantaoui
Tél. (03) 240466
Hôtel de luxe, situé à 8km environ de Sousse. Équipements sportifs et TV par satellite.

Marabout (***)

Route de la Corniche
Tél. (03) 226245
Hôtel familial, fréquenté en haute saison par les groupes organisés. Ambiance sympathique. Chambres avec balcon et salle de bains. Piscine et courts de tennis.

Sousse Azur (**)

Rue Amilcar
Tél. (03) 227760
Hôtel petit et accueillant, situé tout près de l'avenue Bourguiba. Chambres claires, avec salle de bains individuelle.

TABARKA

De France (*)

Avenue Bourguiba
Tél. (08) 644577
Hôtel à l'ancienne, confortable, avec un plaisant bar-jardin. Bourguiba y logea en 1952.

Hammam Bourguiba (***) ▥

Hammam Bourguiba
près d'Aïn Draham
Tél. (08) 632517

Hôtel thermal à l'ancienne, bâti autour d'une source chaude, dans les collines situées au sud de Tabarka. Piscines d'eau minérale.

Les Mimosas (***) ▥

Tél. (08) 643176

Hôtel disposant de chambres, spacieuses, toutes avec salle de bains. Piscine, jardin. Accessible par une allée privée, juste après l'embranchement d'Aïn Draham.

TOZEUR

Grand Oasis (***) ▥

Place des Martyrs
Tél. (06) 450522

Grand hôtel attrayant, à l'orée de la palmeraie. Piscine et climatisation. Chambres peintes en vert (la couleur des palmes) et jaune (celle des dattes).

Splendid (*) ▯-▥

Rue de Kairouan
Médina
Tél. (06) 450053

Hôtel aux chambres à l'ancienne, agréables, donnant sur une charmante cour ombragée par des palmiers. Petite piscine.

TUNIS

Africa Meridien ▥+ (****Luxe)

50 avenue Bourguiba
Tél. (01) 347477

L'unique gratte-ciel du centre de Tunis. Chambres luxueuses parfaitement équipées.

Majestic (***) ▥

36 avenue de Paris
Tél. (01) 332666

Bel édifice ancien à l'architecture coloniale. Chambres spacieuses et confortables. Parfois bruyant.

Maison Dorée (**) ▥

3 rue el-Koufa
Tél. (01) 240632

Hôtel propre et confortable. Ambiance agréable. Bon restaurant.

Résidence Carthage (**) ▥

16 rue Hannibal, Carthage
Tél. (01) 731072

Hôtel familial près de la station Carthage-Salammbo. Restaurant. Chambres agréables et propres.

Sidi Bou Saïd (****) ▥

Avenue Sidi-Dhrif, Sidi Bou Saïd
Tél. (01) 740411

Hôtel luxueux sur une colline dominant la mer. Certaines chambres ont une vue magnifique. Piscine. **69**

Restaurants recommandés

Dans les grandes stations touristiques, les établissements se différencient surtout par leurs prix; les cartes sont relativement similaires et proposent généralement une ou deux spécialités tunisiennes ainsi que quelques plats français et italiens. En règle générale, les restaurants éloignés de la plage ou de la place principale sont les plus avantageux. Mais des prix élevés ne garantissent pas pour autant une qualité de cuisine. On peut, hors des sentiers battus (particulièrement dans les médinas), se régaler à un petit prix. Sachez qu'il n'est généralement pas utile de réserver, sauf pour certains restaurants dont nous communiquons les numéros de téléphone.

Pour vous guider dans votre choix, nous avons utilisé les symboles suivants, qui donnent le prix d'un repas pour deux personnes (boissons non comprises):

▯▯▯	plus de 40 DTU
▯▯	de 20 DTU à 40 DTU
▯	moins de 20 DTU

BIZERTE

Le Petit Mousse ▯▯
Route de la Corniche
Tél. (02) 432185
Bon restaurant de poisson, avec salle à manger et terrasse. Réservation conseillée pour le dîner.

CAP BON

Restaurant ▯▯-▯▯▯
des Grottes
El Haouaria
Situé au sommet de falaises, sur une route qui mène à des grottes; vue sur les îles de Zembra et Zembretta. Excellent pour le poisson et les fruits de mer, mais assez cher.

Restaurant de la Poste ▯▯
Hammamet
Sur la place principale, face à l'entrée de la médina. Plats tunisiens traditionnels. Terrasse sur le toit.

Hôtel Florida ▯▯
Avenue des Martyrs
Kélibia
Attrayant restaurant de poisson, donnant sur le port. Allez-y pour le loup de mer grillé.

La Pergola ▮▮▮

Centre commercial
Hammamet
Tél. (02) 280993
Un des meilleurs restaurants de la ville, chic et élégant; plats tunisiens et français.

DJERBA

Princesse d'Haroun ▮▮-▮▮▮

Port, Houmt Souk
Tél. (05) 658561
Un des meilleurs restaurants de l'île, excellents fruits de mer – calmar, poulpe et homard frais. Réservation conseillée.

Du Sud ▮▮

Place Hedi-Chaker
Houmt Souk
Plaisant restaurant du centre-ville, proposant un bon choix de plats tunisiens et des fruits de mer, notamment un délicieux *brik aux fruits de mer*.

KAIROUAN

Roi du Couscous ▮-▮▮

Avenue du 20 Mars
Tél. (07) 221237
Un des meilleurs établissements de Kairouan pour un souper tunisien classique: *chorba*, *brik*, couscous et *maqroudh*. Réservation conseillée.

Sabra ▮

Avenue de la République
Tél. (07) 220260
Petit restaurant populaire et bon marché où le service est chaleureux. L'endroit idéal si vous voulez vous rassasier de couscous pour seulement quelques dinars.

MATMATA

Hôtel Matmata ▮▮

Tél. (05) 230066
Le seul restaurant du village, souvent bondé à l'heure du déjeuner de visiteurs en voyage organisé. Mets tunisiens classiques. Plaisant café-bar au bord d'un bassin.

MONASTIR

Hôtel Yasmin ▮▮

Route de la Falaise
Ce petit hôtel familial possède un attrayant restaurant proposant un large choix de préparations françaises et tunisiennes.

SOUSSE

L'Escargot ▮▮-▮▮▮

Route de la Corniche
Tél. (03) 224525
Le meilleur restaurant de Sousse, servant des plats français de qualité, dans un décor raffiné. Réservation conseillée.

71

Bonheur ||

Place Farhat-Hached
Tél. (03) 225742
Un des meilleurs établissements
du centre-ville; cuisine de qualité;
plats européens et tunisiens.

TOZEUR

Le Petit Prince ||

La palmeraie
Un endroit populaire, à 1km environ du centre-ville, situé au milieu
de palmiers-dattiers. On y sert une
cuisine tunisienne traditionnelle.

Restaurant |
de la République

Avenue Bourguiba
Restaurant populaire et sans chi-
chis où l'on vous sert de solides
portions de couscous à des prix
défiant toute concurrence.

TUNIS

M'rabet |||

Souk et Trouk
Médina
Tél. (01) 261729
Restaurant touristique très réputé,
situé près de la Grande Mosquée,
dans un immeuble ancien élevé
sur la tombe de trois saints. Sert
des spécialités tunisiennes ainsi
que des plats français. Spectacle
avec danseuses du ventre.

72

Chez Nous ||

5 rue de Marseille
Tél. (01) 243048
Restaurant français élégant, proposant une cuisine de qualité à des
prix tout à fait raisonnables. Les
photographies des clients célèbres
sont accrochées aux murs.

Monte Carlo ||

Avenue Franklin-Roosevelt
La Goulette
Tél. (01) 735338
Restaurant de poisson situé à La
Goulette, derrière le port de pêche
(facile d'accès avec le TGM).
Poisson fraîchement pêché vendu
au poids: vérifiez bien le prix et le
poids avant de commander.

Pirates ||-|||

Sidi Bou Saïd
Tél. (01) 270484
Restaurant de poisson raffiné situé
près de la marina, au pied de la falaise. Vous y accèderez en prenant
un long escalier qui commence en
face de l'hôtel Dar Saïd.

Dar Zarrouk ||

Sidi Bou Saïd
Restaurant attrayant et accueillant
situé dans de magnifiques jardins,
à la sortie du village. Un menu
appétissant vous sera proposé,
principalement composé de plats
français et tunisiens.

Le Sud tunisien et le désert

La Tunisie est coupée en deux par une dépression naturelle, qui s'étend de Gabès à la frontière algérienne. Cet ancien bras de la Méditerranée est ponctué de grands lacs salés, ou *chotts*, qui forment un obstacle naturel à la circulation nord-sud. Ils marquent également la limite entre les steppes semi-arides de la Tunisie centrale et le désert proprement dit, au sud.

Le plus important de tous ces lacs salés, le chott el Djérid, est aussi le plus vaste de tout le Sahara (5200km^2). À l'ouest et au sud des chotts s'étend le Grand Erg oriental, véritable océan de dunes de sable, inhabité à l'exception de quelques oasis isolées.

Les villes oasiennes de Tozeur, Nefta, Kébili et Douz sont desservies par de bonnes

Tamerza: une oasis de montagne réputée pour son décor de toute beauté.

routes, et on peut facilement s'y rendre en excursion organisée ou en louant une voiture. Tozeur dispose de son propre aéroport, relié par des vols directs à Tunis, Djerba et Paris.

GAFSA

Les voyageurs qui, de Tunis, Sousse ou Kairouan, partent pour le chott el Djérid, passent d'abord par la ville minière de **Gafsa**, située dans une trouée des montagnes vers lesquelles

convergent toutes les routes en direction du sud – à l'exception de la route côtière. Située au milieu du bassin des mines de phosphate, Gafsa est une ville active de mineurs, de bureaucrates et de petits entrepreneurs; elle occupe le site de la ville romaine de Capsa. Il y a peu de choses à voir, sinon les **piscines romaines**, deux bassins de pierre remplis d'une eau d'un vert étincelant. Les piscines, alimentées par une source chaude qui jaillit entre deux antiques dalles de pierre, se déversent dans les bassins du hammam voisin.

À proximité de la ville minière de **Metlaoui**, sur la route de Gafsa à Tozeur, se trouve la spectaculaire **gorge de Seldja**. Un chemin de fer longe la gorge jusqu'à la ville de Redeyef; et durant les mois d'été (de juillet à septembre), un petit train touristique, le **Lézard Rouge**, emmène les visiteurs pour un voyage panoramique à travers le grand ravin. Ce train est un cadeau fait par la France au bey de Tunis; ses voitures d'origine, du XIXe siècle, ont **74** été restaurées avec grand soin.

La casbah de Gafsa fut érigée en 1434 sur les fondations de l'enceinte byzantine.

Si vous disposez d'un peu de temps, rendez-vous dans les oasis de **Chebika**, **Tamerza** et **Midès**; leurs profonds ravins rocheux et les cascades jaillissant des falaises en font l'un des plus beaux sites du pays. Seule Tamerza est desservie par les transports publics depuis Redeyef; un véhicule à quatre roues motrices est recommandé pour pousser plus loin l'exploration.

TOZEUR ET NEFTA

La ville oasienne de **Tozeur** (rive nord du chott el Djérid) marque l'arrêt de la colonisation romaine en Afrique. Son nom dérive du site romain de Thusuros et nombre de légions romaines, allant de Gabès à Nefta, se sont arrêtées près de ses sources fraîches. La ville, de nos jours en pleine croissance, est le centre commer-

cial de la région du Djérid. Les voitures et les camions sillonnent ses rues sablonneuses, et les toits de ses maisons ocres sont piquetés d'antennes de télévision. Toutefois, derrière cette façade de prospérité moderne, Tozeur conserve ses anciennes traditions.

Les maisons de la **médina** présentent d'étonnants motifs géométriques, modelés dans la brique crue. Ce goût pour la décoration des façades est typique de la région. Dans les boutiques de souvenirs, tapis et nattes sont ornés de personnages ou d'animaux stylisés. Ces motifs surprennent dans une ville musulmane (l'islam proscrit toutes formes de représentations animales ou humaines). Des femmes voilées se hâtent vers le marché jouxtant la poste, et des villageois discutent le prix des **deglat ennour** (ou «doigts de lumière»). Ces dattes succulentes, récoltées dans la palmeraie voisine, sont vendues au kilo ou par régimes et emballées dans de jolies caissettes de bois.

Pour échapper à la chaleur de l'après-midi, vous pouvez trouver refuge dans l'immense **palmeraie** de Tozeur, irriguée par une source chaude qui jaillit de la terre à Ras el Aïoun et **75**

court le long d'un dédale de canaux, au pied d'une forêt de plus de 200 000 palmiers. Ce système d'irrigation fut conçu par un mathématicien du XIIIᵉ siècle, Ibn Chabbat, pour assurer à chaque propriétaire une juste répartition de l'eau. Vous pourrez vous promener dans les jardins ombragés ou faire une visite guidée à bord d'une des calèches qui stationnent à l'entrée de la palmeraie.

La route de Tozeur à **Nefta** suit le bord d'une corniche élevée. L'intense lumière et le soleil font paraître la surface parfaitement sèche du chott comme une immense étendue d'eau; ce n'est qu'un mirage: le lac ne s'emplit qu'après de très grosses chutes de pluie, ce qui se produit rarement dans cette région aride.

De la hauteur où se situe Nefta, vous profiterez d'une vue plongeante sur une dépression circulaire, irriguée par de nombreuses sources et tapissée de palmiers. C'est la célèbre **corbeille** de Nefta, un jardin luxuriant et odorant, où le vent chaud du désert se métamorphose en une brise rafraîchissante, et où le bruit de l'eau apaise le voyageur. Après un paysage d'une extrême sévérité, le spectacle d'une telle abondance surprend; ici, bananes, dattes, figues, poivrons et grenades s'épanouissent à l'ombre des palmes.

Un grand nombre de mosquées et les *koubbas* (tombes de saints) ont fait de Nefta un lieu de pèlerinage, lui valant le surnom de «Kairouan du désert». Les jours de fêtes religieuses, la ville est très animée et il s'avère très difficile de trouver à s'y loger.

KÉBILI ET DOUZ

De Tozeur, une bonne route part en direction du sud-est et traverse les étendues infinies des plaines de sel du **chott el Djérid**. La chaussée parcourt environ 40km en ligne droite; le spectacle aveuglant de la croûte de sel blanche et bleue, rompue ici et là de rose et de vert, n'est interrompu que par quelques intrépides marchands de souvenirs, postés au bord de la route. L'air chaud créant d'étranges illusions d'optique, un trafic semble graduellement apparaître en sens inverse. En approchant de la rive méridionale, des traînées de sable sur l'asphalte vous signaleront la lisière du Sahara.

Kébili, la première ville que vous rencontrerez, à 96km de Tozeur, est un camp militaire poussiéreux. La Légion étrangère y tint garnison dans deux pittoresques petits forts, qui

Faites votre plein de dattes à Douz (à gauche) puis partez à dos de chameau dans le Sahara.

ont été reconvertis en hôtels-restaurants. Il y a à peine plus d'un siècle, Kébili était un marché réputé où se vendaient les esclaves du sud du Sahara.

Passé Kébili, vous pénétrerez au royaume des grandes dunes; de part et d'autre de la route, des palissades tentent de contenir l'inexorable progression des sables du Grand Erg oriental. Une large avenue bordée d'eucalyptus odorants signale l'approche de **Douz**, dite la «porte du Désert», une ville point de départ de nombreuses

---

L'oasis, ce paradis du désert

Pour les hommes du désert, une oasis – «un coin de paradis au milieu de l'enfer» – est plus qu'un simple point d'eau: après un long labeur et beaucoup d'ingéniosité, c'est toute leur vie qui s'organise autour d'elle. L'eau de chaque source, de chaque ruisselet est captée et canalisée vers le sous-sol. Le sol est labouré et fertilisé pour permettre la naissance d'une palmeraie, essentielle pour l'ombre. C'est seulement à ce prix que le frugal régime des oasiens – dattes et lait de chamelle – peut s'enrichir de blé, d'abricots, de figues et de racines. Rien n'est perdu: chaque espace de terre ombragée est cultivé et les déchets servent immédiatement d'engrais. La palmeraie se métamorphose petit à petit en un jardin paradisiaque, dispensateur de fruits, de légumes, de fourrage et de fleurs, tandis que les maisons du village s'alignent plus loin en plein soleil.

Le palmier est le cœur et l'âme de l'oasis, et toutes ses parties sont utilisées: le tronc sert à la construction de ponts, pour les canaux d'irrigation, et de poutres pour les maisons; les fibres poussant à sa base rembourrent le bât des mules; les palmes se métmorphosent en nattes et en paniers; leurs tiges épaisses, quant à elles, servent de battoirs aux lavandières; enfin, la sève, fermentée, produit du vin de palme – le *laghmi*.

excursions à dos de chameaux et en véhicule tout-terrains. Le jeudi, la ville s'anime lorsque les tribus semi-nomades des oasis des alentours se rendent au marché. Les acheteurs en *burnous* bruns et *kefieh* blancs marchandent le prix de sacs de laine, de tas de légumes et de bottes de fourrage. Les cafés sont bondés, tandis que les fournées se succèdent dans la petite boulangerie du coin, et tout le monde participe à la liesse générale.

À quelques minutes de la place du marché, vous trouverez le **marché aux chameaux**, où vendeurs et acheteurs négocient sur un ton animé. «*Mais comment oses-tu vendre cette chose décrépite ?*» s'indigne

En bordure du désert, les bassins de Kébili constituent une halte apaisante.

le client. «*Elle ne vaut même pas une figue !*» Le vendeur, atterré par tant d'effronterie, de répondre que sa bête sort juste du ventre de sa mère et qu'elle est dans sa prime jeunesse. «*Cet animal n'a jamais eu l'ombre d'une maladie; et il se porte comme un charme, Allah en est témoin !*». À l'occasion, le chameau blatère, redonnant ainsi de l'énergie aux antagonistes qui s'efforcent de tirer parti de son cri pour relancer le marchandage.

79

Douz sort de sa torpeur pour le **Festival du Sahara**, qui se tient à la fin du mois de décembre: soirées théâtrales ou folkloriques, concours de tir, courses de lévriers ou encore combats de chameaux se succèdent pendant une semaine. Les poètes déploient leur talent d'improvisation lors d'une joute poétique, tandis que les cavaliers du désert présentent une *fantasia*. Pendant cette simulation de bataille, les cavaliers lancent leurs fougueuses montures sur le public – tirant des coups de feu en l'air et poussant des cris belliqueux – ils ne s'arrêteront qu'au tout dernier moment.

Les tribus des oasis voisines rejoignent la place centrale de Douz, à l'occasion du marché hebdomadaire.

GABÈS

La route de Kébili à Gabès traverse une plaine sèche et poussiéreuse, enserrée entre le lac salé du chott el Fedjedj et les sommets irréguliers des montagnes du Djébel Tebaga. Les sources chaudes et sulfureuses d'**El Hamma** étaient déjà appréciées des Romains.

Gabès est une grande ville industrielle. On l'appelle aussi la «porte du Sud» car tout le trafic nord-sud y transite. Bien que son complexe touristique, ses commerces, ses hôtels et ses restaurants aient fait de la ville nouvelle une agglomération comme il en existe beaucoup sur le littoral tunisien, Gabès offre en plus le charme d'une immense palmeraie située en bord de mer.

L'**oasis** de Gabès est si importante que, dans ses profondeurs ombragées, se blotissent une dizaine de villages reliés les uns aux autres par une route serpentant entre les palmiers. C'est habituellement en calèche que l'on explore ce paradis de 300 000 palmiers. Vous pouvez louer une calèche auprès de l'office du tourisme du centre-ville. Le climat côtier est trop frais pour autoriser une production de dattes de qualité; les palmiers de Gabès sont donc cultivés pour leur ombre qui permet aux cultures et aux arbres fruitiers de s'épanouir pleinement. Le tronc des palmiers fournit du matériel de construction, et les dattes sont utilisées comme fourrage pour les animaux. La plupart des visites en calèche font halte au village de Chenini, où un large choix de productions artisanales vous sera proposé.

MATMATA

Enfoui dans les collines, à environ 40km au sud de Gabès, le village de **Matmata** est l'un des plus curieux de Tunisie. Si vous avez vu *La Guerre des étoiles*, le paysage vous paraîtra peut-être familier; en effet, la scène du retour de Luke Skywalker dans la demeure souterraine où il a grandi a été tournée ici. Matmata est un village troglodyte, où chaque demeure a été excavée dans la terre maléable.

81

La plupart de ces **maisons-cavernes** s'ordonnent selon un même plan de base: un trou circulaire d'environ dix mètres de diamètre, servant de cour, est relié à la surface de la terre par une galerie inclinée. Des pièces, débouchant sur la cour, sont aménagées en chambres à coucher, étables ou entrepôts. Les maisons les plus vastes peuvent compter deux ou trois cavités, reliées entre elles par des tunnels. Ces demeures inhabituelles sont très pratiques car l'isolation fournie par le sol les rendent fraîches en été et chaudes en hiver. Vivre sous terre est une vieille tradition; en effet, l'historien grec Hérodote rapporte l'existence de troglodytes dans cette région au IVe siècle av. J-C.

Les habitants de Matmata (des Berbères) travaillent dur pour tirer du sol aride de quoi vivre. Figuiers, oliviers et palmiers chétifs poussent dans les ravins ombragés, entre les collines. La découverte du village par le monde extérieur a aidé l'économie locale: restaurants et boutiques de souvenirs ont ouvert, et les promenades à dos de chameaux sont maintenant la principale source de revenus. Nombre de villageois vivent à la surface et font visiter leurs anciennes habitations, moyennant finance.

Trois **hôtels** sont aménagés dans des maisons troglodytes. Les chambres, de petite taille, sont rudimentaires et ne possèdent guère plus qu'un lit bancal et une ampoule nue, mais passer une nuit dans un hôtel

C'est à l'abri du soleil que l'on visite les curieuses habitations troglodytes de Matmata.

sous terre est une expérience à ne pas manquer !

Une route part de l'hôtel *Les Berbères* et mène vers l'ouest, aux villages de Tamezret, Taoujou et Seraoua. Tamezret, à 10km de Matmata, est un village en pierre groupé autour d'une mosquée. Finissez votre visite par le café, situé au sommet de la colline, d'où vous aurez un panorama superbe.

MÉDENINE ET LES KSOUR

Les montagnes qui se dressent au sud de Matmata furent l'un des derniers bastions de la culture berbère en Tunisie. Lorsqu'au XIe siècle, les tribus arabes hostiles déferlèrent sur l'Afrique du Nord, pillant et détruisant fermes et villages pour en faire des pâturages, les

Kalaâ, ghorfas et ksour

Losque les Berbères, fuyant les Beni Hilal, se réfugièrent dans les collines (XIe siècle), ils érigèrent très vite des citadelles impressionnantes, appelées *kalaâ*. Celle de Douiret, au sommet d'un pic de 700m, est particulièrement remarquable.

Une *ghorfa* est un grenier berbère qui se présente comme une pièce rectangulaire au plafond en berceau. Pour pallier le manque de bois de construction, leur voûte était construite à l'aide de sacs de terre – auxquels on avait préalablement donné une forme arrondie –, recouverts de branches d'olivier, de mortier et d'argile. Lorsque la voûte était sèche, les sacs étaient retirés. Évoquant souvent des nids d'abeilles, les *ghorfas* pouvaient s'étager sur trois à quatre niveaux. Disposées autour d'une cour rectangulaire, elles formaient un *ksar* (plur. *ksour*) ou village fortifié. En temps de paix, les villageois se réunissaient sur la place centrale pour le marché hebdomadaire. Le *ksar* constituait un bastion idéal en cas de guerre.

indigènes berbères trouvèrent refuge dans les villages fortifiés des collines. Puis nombre d'entre eux se rendirent dans la plaine et furent intégrés à la culture arabe tunisienne. Ceux qui restèrent dans les villages montagnards perpétuèrent les traditions et la langue de leurs ancêtres; cependant, au XIXe siècle, leur langue n'était plus parlée que dans quelques villages, et la culture berbère avait presque disparu. Aujourd'hui, l'architecture unique des *ksour* – villages fortifiés des collines à l'ouest de Médenine – reste comme un monument dédié à un mode de vie révolu.

Médenine, à 75km au sud de Gabès, était jadis un important entrepôt pour le stockage du grain. Cette ville recensait alors 35 *ksour*, parfois hauts de 6 étages, et près de 8000 *ghorfas*. Il ne reste aujourd'hui que quelques dizaines de *ghorfas* qui s'ordonnent autour de trois cours, dont l'une a été aménagée en centre commercial touristique. À **Métameur**, à la lisière de la ville, un *ksar* pittoresque a été converti en **84** hôtel (voir p.68).

Si vous ne disposez pas d'un véhicule à quatre roues motrices, vous devrez, pour visiter les *ksour*, vous diriger vers le sud, puis rejoindre les routes goudronnées qui partent de Tataouine. **Chenini**, le plus proche et aussi le plus fréquenté par les voyages organisés, est un petit village pittoresque, haut perché dans une vallée rocheuse. Seule une minuscule mosquée blanche se détache du paysage, les habitations semblant se fondre dans les rochers. Bâties avec la pierre locale et épousant les strates de la roche, ce camouflage infaillible trompait les pillards montant des basses vallées. Dans les maisons, les «pièces du fond» étaient creusées à même le roc et dérobées à la vue par une rangée de *ghorfas* tournées vers l'intérieur. Chenini est toujours habité, mais nombre de villageois occupent des maisons neuves dans la vallée.

La mosquée de Métameur, à proximité de Médenine, domine un ancien ksar.

Non loin de là, **Douiret** est accessible depuis Chenini par une route sans revêtement, ou par une route goudronnée qui s'écarte de la route principale à 8km au sud de Tataouine. Les ruines d'un *kalaâ*, perché au faîte d'un pic de 700m, et les deux rangées de maisons en terrasse, au pied de la mosquée blanche, en font un village des plus impressionnants. La majorité des *ghorfas* sont en bon état et, près de la mosquée, on peut voir une presse à huile souterraine.

Puis prenez la route de Chenini, où un embranchement, à votre droite, vous mènera à **Ghoumrassen**, une ville particulièrement animée le vendredi (jour du marché) et célèbre dans toute la Tunisie pour ses beignets – *ftair* – que l'on peut acheter dans les pâtisseries de la rue principale. Les habitants de cette ville située dans une vallée abrupte ont creusé leur maison à même la falaise.

Une route bifurque vers la gauche, en direction du petit village de **Guermessa**; un sentier étroit et rocheux grimpe jusqu'au *kalaâ*, accroché très haut au-dessus de la ville. Le **Ksar Haddada**, situé à environ 6km au nord de Ghoumrassen, a été converti en hôtel.

Les remarquables ghorfas de Ksar Haddada servaient jadis au stockage du grain.

Que faire

Vos achats

Le souks tunisiens sont moins exotiques que ceux du Maroc et ont été envahis par les magasins de souvenirs pour les touristes. Les meilleures boutiques d'artisanat sont situées à Tunis, Kairouan, Sousse et Houmt Souk. Dans les villes et les villages se tient un marché hebdomadaire coloré qui mérite un détour, que vous ayez l'intention d'acheter ou non.

Les magasins sont généralement ouverts de 8h30 à 18h30 tous les jours, mais ils ferment par intermittence le vendredi, le jour saint des musulmans. Dans les souks, l'animation est à son comble tôt le matin et en fin d'après-midi.

Le marchandage

Dans une économie où bon nombre de produits sont fabriqués à la main, chaque article possède une valeur distincte, déterminée par la qualité du travail. Le marchandage permet de déterminer le juste prix et n'est pas une simple ruse utilisée par le vendeur. Pour connaître la valeur d'articles comparables, entrez dans plusieurs boutiques du marché.

Lorsqu'un objet vous intéresse, demandez son prix au commerçant, et offrez-lui environ la moitié de ce que vous êtes prêt à payer. Le marchandage se poursuit jusqu'à ce que vous parveniez à un prix mutuellement acceptable. S'il s'agit d'un article coûteux, la procédure nécessitera parfois plusieurs verres de thé à la menthe et durera une bonne demi-heure. Deux règles d'or: ne marchandez jamais un objet que vous n'avez pas l'intention d'acheter, et n'offrez jamais un prix que vous n'êtes pas disposé à payer.

Sur la côte, de nombreux vendeurs ont compris que peu de touristes savent marchander et proposent d'emblée le prix le plus bas. Dans ces conditions, il est inutile de marchander davantage, la compétition féroce que se livrent les commerçants les obligeant déjà à **87** réduire leurs marges de façon considérable.

Pour ceux qui n'aiment pas marchander, les magasins de l'ONAT (Organisation nationale de l'artisanat tunisien) sont gérés par l'État et les prix y sont fixes (l'office du tourisme vous donnera l'adresse de la boutique la plus proche). Vous pourrez vous y faire une idée de l'éventail des articles disponibles et de leurs prix. Rappelez-vous toutefois que, dans les souks, le choix est plus vaste et les prix légèrement plus bas. Les boutiques de l'ONAT se chargeront d'ex-

pédier chez vous les achats qui s'avèrent trop volumineux pour être transportés en avion.

Qu'acheter

Articles en cuir. Un choix de ceintures, babouches, bourses, portefeuilles, sacs à main, pantalons, vestes et jupes vous sera proposé. Prix et qualité varient. En général, la grande majorité des articles proposés dans les stations touristiques les plus populaires est assez quelconque; aussi vérifiez bien avant d'acheter. Pour des articles de meilleure qualité, rejoignez les boutiques de Tunis.

Bijoux. On doit la réalisation des bijoux traditionnels à la communauté juive du pays, et ce sont toujours les anciennes zones juives de Djerba et de Tunis qui offrent le meilleur choix. Des motifs représentant un poisson ou la main de Fatma – sensés préserver des esprits mauvais – ornent souvent la production locale. Les traditionnels bijoux berbères en argent (bracelets, broches ou

boucles d'oreille), parfois sertis de pierres semi-précieuses, se font plus rares. Tentez votre chance dans les boutiques d'El Djem ou de Tozeur. A Tabarka, vous trouverez également des bijoux en corail. Le corail étant aujourd'hui en voie de disparition, réfléchissez deux fois avant d'acheter.

Bois et métal. Le Sahel, la région des oliviers, produit de beaux articles en bois d'olivier sculpté: saladiers, boîtes à bijoux, échiquiers et plateaux de jacquet. Les cuivres tunisiens sont souvent de piètre qualité,

Les souks colorés de Tunisie proposent un large éventail de créations artisanales.

mais les théières, cafetières, plateaux et assiettes personnalisées peuvent constituer d'attrayants souvenirs. Les cages à oiseaux faites à Sidi Bou Saïd sont encore plus originales.

Poterie et céramique. Nabeul et Djerba sont les principaux centres de poterie du pays et leurs créations sont largement **89**

distribuées. La céramique aux motifs bleu, jaune et vert sur fond blanc, fait la réputation de Nabeul. La spécialité de Djerba est la terre cuite et une vaste gamme d'articles, des bols aux amphores, vous sera proposée. L'île est également fière de ses ustensiles de cuisine aux couleurs qui évoquent le palmier: le jaune pour les dattes, le vert pour les palmes.

Tapis et mergoums. Les tapis tunisiens n'offrent pas la qualité des tapis turcs ou iraniens, mais constituent des acquisitions intéressantes à des prix abordables. La fabrication des tapis est contrôlée par l'ONAT. Chaque tapis doit être répertorié selon sa qualité – deuxième choix, premier choix ou supérieure – dépendant de la densité des nœuds au mètre carré. Les couleurs et la nature des motifs varient. Il existe deux styles de dessins: les dessins multicolores ayant pour couleurs dominantes le rouge et le bleu, et les formes géométriques aux couleurs naturelles (crème, beige, brun et noir). **90** Les meilleurs tapis s'achètent

Les bijoux en argent traditionnels constituent des souvenirs des plus séduisants.

à Kairouan et Tunis, et dans ces deux villes, certains marchands vous proposeront de voir les tisseuses à l'ouvrage. Acceptez et vous découvrirez ce qu'il faut de travail et d'habileté pour réaliser ces chefs-d'œuvre – d'où leur prix.

Les **mergoums** sont des tapis tissés plutôt que noués, aux dessins géométriques colorés sur fond uni (en général jaune-brun). Ils sont traditionnellement fabriqués par les Berbères du Sud, dans les tons de rouges vifs et de pourpres que l'on retrouve sur les châles des femmes. Les meilleures réalisations s'achètent à Gafsa, Tozeur, Gabès et Djerba.

Les sports et autres activités

Les sports nautiques

Avec plus de 1000km de côtes et des plages comptant parmi les plus belles de la Méditerranée, la Tunisie est un paradis pour les amateurs de sports nautiques. Les plages de sable blanc et les eaux tièdes et peu profondes d'Hammamet, Nabeul, Djerba, Sousse et Monastir constituent un cadre privilégié pour la **natation**, idéal pour les enfants. De plus, la plupart des hôtels des stations touristiques disposent d'une piscine chauffée.

Les eaux calmes des plages tunisiennes sont l'endroit rêvé pour apprendre la **planche à voile**; les plus grandes plages proposent des cours, ainsi que le matériel en location. Vous

pourrez également y pratiquer d'autres activités: le **ski nautique**, la **voile** sur dériveur, et le **parachute ascensionnel**.

La côte nord, rocheuse, se prête à la **plongée avec tuba** et, si vous désirez descendre plus profond, des cours de **plongée autonome** sont proposés à Tabarka, Port El Kantaoui et Monastir. Kélibia et Sidi Daoud, au cap Bon, attirent les adeptes de la pêche sous-marine. Cette partie du littoral offre aussi de riches paysages sous-marins. On ne peut pratiquer la pêche sous-marine sans une autorisation du Directeur des Pêches. Votre agent de voyage vous expliquera toutes les formalités.

La pêche en mer

La pêche à la ligne n'est pas réglementée. Pour pratiquer la pêche en haute mer, des bateaux peuvent être loués aux marinas de Port El Kantaoui et de Monastir. Citons, parmi les espèces côtières, le mulet, la brème et le bar; dans les eaux profondes, on trouve des daurades, des thons et des requins. **91**

Safaris dans le désert

La plupart des circuits s'effectuent en Land Rover. Ces tours vont de l'excursion de deux jours à Matmata et aux *ksour* à des «safaris» de dix jours dans les profondeurs du désert. Les expéditions courtes peuvent être réservées directement sur place à Hammamet, Sousse, Gabès, Douz et Djerba; les plus longues devront être prévues à l'avance. Des agences de voyages proposent des safaris tous frais compris. Pour plus de détails, contactez l'ONTT (voir p.123).

Le char à voile

Vous pouvez vous essayer à ce sport excitant sur les étendues de sel du chott El Djérid.

Lorsque le vent souffle, la vitesse de ces véhicules à trois roues peut atteindre 50km/h. Pour en savoir plus, contactez l'hôtel El Djérid, à Tozeur.

Randonnées à dos de cheval et de chameau

De beaux chevaux arabes et des poneys peuvent être loués pour faire une promenade sur

les plages de Sousse, Hammamet et Djerba, et ce, à des prix très raisonnables. Des randonnées peuvent également être arrangées par votre hôtel ou par l'office du tourisme.

Vous pouvez monter à dos de chameau sur la plupart des plages touristiques et dans les villes de Tozeur et de Douz, d'où partent des excursions de plusieurs jours dans le désert, avec étapes et nuits sous la tente. Pour plus de détails, appelez l'ONTT (voir p.123).

La chasse

Les collines du cap Bon et les forêts de Tabarka et d'Aïn Draham abritent les fameux sangliers de Tunisie, que l'on peut chasser en saison (de novembre à janvier). Pour le permis de chasse et le permis de port d'arme, contactez votre agence de voyages à l'avance, ou bien l'ONTT (voir p.123).

Les expéditions en Land Rover vous permettront de partir à la découverte du désert. **93**

à Tabarka, un à Hammamet et un à Monastir. Équipement et caddies peuvent être loués sur place (réservation recommandée). Certaines compagnies de voyages organisés proposent divers séjours de golf en Tunisie. Pour plus de détails, contactez votre agent de voyage ou l'ONTT (voir p.123).

La Tunisie offre un cadre particulièrement favorable à la pratique du golf.

Le tennis et le golf

La plupart des hôtels disposent de leurs propres courts de tennis; certains d'entre eux sont éclairés le soir. L'ONTT édite une brochure donnant la liste des hôtels avec courts.

Le premier terrain de golf de Tunisie fut ouvert à La Soukra, près de Tunis, en 1924. Le pays en compte quatre autres: le parcours de championnat de Port El Kantaoui où, tous les ans, en avril, se déroule l'Open de Tunisie; un terrain tout neuf

L'ornithologie

Au printemps et en automne, lorsque les oiseaux migrateurs rejoignent ou quittent leur lieu de nidification en Europe et survolent la Méditerranée en son point le plus étroit, un formidable défilé envahit le ciel. Les plus impressionnants sont les oiseaux de proie – faucons pèlerins, éperviers, buses, aigles et milans. Les faucons pèlerins peuplent les rochers du cap Bon et vous trouverez une fauconnerie au village voisin d'El Haouaria (voir p.49).

C'est dans les marais salants et les lagons (appelés s*ebkhet*) qui bordent la côte est que l'on peut observer des échassiers, notamment des flamants, spatules et avocettes.

Le parc national du lac Ichkeul, près de Bizerte, est la plus importante réserve d'oiseaux aquatiques d'Afrique du Nord, accueillant nombre de canards, d'oies et d'échassiers. La meilleure période pour le visiter est d'octobre à février. Parmi les oiseaux rares qui habitent le lac, citons la *poule sultane* (ou porphyrion).

Les loisirs

En Tunisie, vous aurez l'embarras du choix: les hôtels des stations se mettent en quatre pour divertir leur clientèle.

La vie nocturne

La plupart des hôtels des stations possèdent leurs propres bars, discothèques, et nombre d'entre eux organisent des sorties dans les boîtes de nuit des villes voisines. Une fois par semaine sont organisées des «soirées folkloriques», consistant en un dîner tunisien agrémenté de musique, de danses, de charmeurs de serpents et de danseuses du ventre.

En dehors des stations réputées, Tunis est la seule ville où l'on trouve des bars et boîtes de nuit de type européen; la plupart sont regroupés dans les rues avoisinant l'avenue Bourguiba. Il existe aussi une vie de café assez animée dans les banlieues côtières de Sidi Bou Saïd et La Marsa. Dans les petites villes, la vie nocturne se résume souvent à une promenade vespérale le long de la grande rue, suivie de conversations animées dans un café.

Durant le Ramadan, après le jeûne de la journée, la vie nocturne s'intensifie. Chaque soirée, pendant quatre semaines, devient un temps de fête et de réjouissances qui se prolonge jusqu'au petit matin.

La ville d'Hammamet possède un Centre culturel international où divers concerts et pièces de théâtre sont donnés dans les luxueux jardins d'une ancienne propriété privée. Des spectacles de musique et de danse traditionnelle sont souvent présentés dans le cadre romantique de la casbah médiévale d'Hammamet et des ribats de Sousse et de Monastir. **95**

Le folklore

Un mariage traditionnel est un spectacle régulièrement proposé aux touristes. Une fiancée tunisienne le jour de ses noces offre une vision mémorable: revêtue de jupes de soie et de tissus brodés d'or et d'argent, la mariée apparaît couverte de bijoux. Sous le poids de ses bagues, broches, colliers, ceintures, boucles d'oreilles et bracelets divers, ses mains et ses

---

CALENDRIER DES FESTIVITÉS

Pour les dates exactes, contactez l'office du tourisme local.

juin
El Haouaria, cap Bon: Festival de la Fauconnerie
Houmt Souk, Djerba: Festival d'Ulysse – musique et danses
Dougga: Festival de Dougga – spectacles au théâtre romain

juillet-août
Carthage: Festival international de Carthage – musique, danse et théâtre
Tabarka: Festival de Tabarka – musiques rock et folk, artisanat

août
Hammamet: Festival d'Hammamet – concerts et théâtre au Centre culturel international
Sousse: Festival de Baba Aoussou – procession carnavalesque

octobre
Carthage: Festival du Film de Carthage (biennal) – films du Tiers-Monde

décembre
Tozeur: Festival de l'Oasis – folklore, agriculture oasienne; courses de chameaux, *fantasias*
Douz: Festival du Sahara (fin décembre) – musique folklorique, danse, courses de chameaux, *fantasias*

pieds sont embellis de formes originales dessinées au henné.

Habituellement célébrées en été, lorsque la famille vivant à l'étranger est de retour au pays, les noces peuvent durer une bonne semaine. Parents et amis sillonnent les rues de la ville en de joyeux cortèges, au son du cor, du tambour et de la flûte. Qu'ils soient intimes ou non, les villageois prennent part aux festivités: en Tunisie, les mariages sont des événements publics.

Fêtes et festivals

En Tunisie, les plus importantes fêtes religieuses coïncident avec les dates saintes du calendrier musulman, fondé sur le cycle lunaire. L'année lunaire ne comportant que 354 jours, ces jours fériés subissent un constant décalage par rapport au calendrier grégorien. Chaque année, ils tombent onze jours plus tôt que l'année précédente (voir pp.119-20).

Pendant le mois du **Ramadan**, les musulmans doivent s'abstenir de manger, de boire, ou encore d'avoir des relations

La majorité des hôtels tunisiens organisent des soirées de danse tunisienne traditionnelle.

sexuelles pendant les heures de la journée. Seuls les voyageurs, les enfants, les femmes enceintes et les guerriers engagés dans un *jihad* (une «guerre sainte») sont dispensés de ce jeûne. Mais avec le coucher du soleil vient l'heure de festoyer, et des spectacles de musiciens **97** ambulants et de marionnettes envahissent alors bien souvent les rues. La fin du Ramadan est marquée par l'**Aïd es-Seghir** (ou **Aïd el-Fitr**).

L'**Aïd el-Kebir** (ou **Aïd el-Idha**) commémore le sacrifice d'Abraham. À cette occasion, les familles se réunissent et nombreuses sont celles qui sacrifient un mouton. La fête du **Mouloud**, célébrant la naissance du prophète Mahomet,

Les stations balnéaires tunisiennes offrent à la jeune clientèle un large choix d'activités.

est accompagnée de diverses prières et cérémonies. C'est une fête majeure pour la ville sainte de Kairouan.

La Tunisie célèbre, toute au long de l'année, de multiples autres fêtes, notamment celles des moissons et des festivals artistiques (voir p.96).

Pour les enfants

La Tunisie est un lieu de destination idéal pour des vacances en famille. Les plages de sable et les eaux peu profondes et protégées de la côte orientale permettent aux enfants de jouer en toute sécurité, et les hôtels des principales stations balnéaires mettent à la disposition de la jeune clientèle toutes sortes d'amusements: jeux de plage, tours à dos de chameau, concours de châteaux de sable, terrain de volleyball, tennis de table, mini-golf, disco pour les moins de seize ans et parfois un spectacle de charmeur de serpents. Certains hôtels ont un service de garde d'enfants qui permet aux parents de profiter d'une soirée de liberté.

Les plaisirs de la table

Les plats tunisiens traditionnels reflètent les influences culinaires des différents peuples qui ont, tour à tour, occupé le pays: le couscous des premiers Berbères, les olives et l'huile d'olive des Romains, le café et les épices des Arabes, les pâtisseries gorgées de miel des Turcs. Les Français, quant à eux, ont introduit les restaurants et l'usage de servir les plats séparément. La meilleure façon de goûter à la cuisine du pays est de partager le repas d'une famille tunisienne, mais rares sont les heureux élus.

Où manger

Vous avez le choix entre différents types d'établissements. La gargotte est un simple café-restaurant à la clientèle locale, disposant parfois de quelques tables sur le trottoir. On y propose des plats à la fois simples et consistants, à des prix peu élevés, tels que du couscous, des boulettes de viande, des soupes, des salades et du pain.

Pour un repas encore meilleur marché, rejoignez les rôtisseries, sortes de fast-food à la tunisienne, où vous pourrez vous rassasier pour un dinar environ. On y sert essentiellement des aliments frits, avalés debout au comptoir.

Vous trouverez divers fast-foods à l'européenne dans les stations touristiques. Ces établissements proposent aussi un choix de repas sur le pouce: hamburgers, frites et pizzas.

Dans les grandes villes, les cafés et les pâtisseries de style français constituent une plaisante alternative; pour accompagner votre café, thé à la menthe ou jus de fruit, un large choix de gâteaux et de pâtisseries vous sera proposé.

Pour finir, les restaurants de style européen, plus luxueux, se situent en haut de la liste. Ils proposent un éventail de plats tunisiens, français et italiens. Le cadre et la situation géographique, plus que la nourriture elle-même, expliquent les différences de prix; en règle générale, plus on se rapproche **99** de la mer, plus les prix affichés sont élevés. Les restaurants de poisson de la côte comptent parmi les meilleurs du pays.

N'oubliez pas qu'en dehors des grandes villes et des stations réputées, les restaurants

se font rares. Les visiteurs s'éloignant des zones touristiques finissent généralement par prendre leurs repas à leur hôtel. Sachez également qu'en dehors des stations balnéaires touristiques, les cafés sont exclusivement fréquentés par les hommes; une femme s'y aventurant seule sera l'objet d'une attention inopportune.

Les heures des repas

Petit déjeuner. Dans les hôtels des stations touristiques, un buffet vous sera proposé. Dans les hôtels situés plus à l'écart, ou bien de taille plus modeste, on vous présentera un petit déjeuner à la française: café, jus de fruit, croissants, pain, beurre et confiture. Le petit déjeuner est généralement servi entre 7h et 9h30. Pour changer de votre hôtel, rejoignez les habitants à la terrasse d'une pâtisserie, où vous

*U*n repas tunisien traditionnel doit commencer par un délicieux brik à l'œuf.

déjeunerez d'un café et d'un croissant, ou d'un beignet traditionnel appelé *ftair*.

Déjeuner et dîner. Le déjeuner est servi de midi à 15h et le dîner de 19h à 21h environ. En dehors de Tunis et des stations touristiques les plus fréquentées, vous aurez certainement des difficultés à vous faire servir après 21h30.

Les repas traditionnels proposés dans les restaurants touristiques se composent ainsi: en entrée on vous présentera une *chorba*, qui sera généralement suivie par des *brik*, puis un plat principal de couscous et un dessert de fruits frais et de *maqroudh*. Les repas tunisiens s'accompagnent de la célèbre *harissa*, une sauce piquante à base d'ail, de piments rouges et d'épices.

La cuisine tunisienne classique

Hors-d'œuvre. L'entrée tunisienne la plus courante est la *chorba*, une soupe poivrée et grasse épaissie avec des pâtes. On vous proposera également

la populaire *salade méchouïa*, qui, malgré son nom, n'est pas une salade traditionnelle mais un délicieux mélange de petits morceaux de poivrons, de tomates et d'oignons grillés, parfois agrémenté de tranches d'œuf dur, de câpres et de thon à l'huile. Le *brik à l'œuf* – une crêpe de pâte feuilletée extrêmement fine, enrobant un œuf, et que l'on fait frire dans de l'huile d'olive – est un mets typiquement tunisien. On vous offrira, dans les meilleurs établissements, une sélection de farces à base de légumes, de poissons, de viandes ou de crevettes. Pour manger un *brik*, vous devrez vous servir de vos doigts – un exercice périlleux! **101**

Parmi les autres spécialités qui pourront vous être proposées en hors-d'œuvre, citons les *kefta*, des petites boulettes de viande d'agneau hachées avec du cumin et de la coriandre, puis grillées, et les brochettes d'agneau. Une salade tunisienne est un mélange finement haché de tomates, concombre, oignons et poivrons verts, assaisonné d'huile et de vinaigre et aromatisé avec de la coriandre fraîche. Profitez de votre séjour pour goûter à d'authentiques *merguez*, saucisses pimentées à base de bœuf ou d'agneau.

Couscous: comment visiter la Tunisie et ne pas déguster un traditionnel couscous ? La savoureuse et fine semoule, cuite à la vapeur, est agrémentée de légumes (carottes, courgettes, pois chiches) et de viande (en général de l'agneau ou du poulet), et servie avec une sauce relevée avec des herbes et des épices. Chaque chef et chaque ménagère a sa recette personnelle. Si vous le désirez, vous pouvez également commander votre couscous sans viande;

toutefois, les végétariens noteront bien que les légumes ont généralement été cuits dans du bouillon de viande.

Kamounia. Il s'agit d'un délicieux ragoût d'agneau, de poulet ou de bœuf, longuement mijoté et généreusement assaisonné de cumin. Il ne figure que trop rarement à la carte des restaurants touristiques, et seuls les restaurants de standing le proposent.

Odjja. Ne manquez pas de goûter à la savoureuse *odjja*, une surprenante combinaison d'œufs brouillés et de cervelle, de boulettes de viande ou de poisson, que l'on assaisonne de coriandre et de menthe; ce plat mijote longuement dans une succulente sauce au piment et à la tomate, relevée de cumin et d'ail.

Tajine. Les *tajines* tunisiens sont une sorte de ragoût à base d'œufs et de légumes, auxquels on ajoute du mouton ou du poulet. La préparation est cuisinée dans un plat en terre. Suffisamment réduit, ce mets a la consistance d'une omelette. Certains chefs ajoutent du fromage et offrent un *tajine* gratiné. D'autres y incorporent de la menthe ou des épinards. C'est un plat simple et succulent dont vous ne manquerez pas de vous régaler.

Koucha Fil Kolla. Ce ragoût d'agneau, saupoudré de romarin frais et d'épices, est cuit dans une carapace hermétique en argile, amenée à votre table et brisée devant vous.

Doulma. Cet intéressant mets d'origine turque est toujours très apprécié. Il se compose de poivrons verts (ou courgettes) farcis avec de la viande, des œufs, du persil et des oignons.

Poissons et fruits de mer. Les eaux fertiles des côtes de la

*U*n petit creux ? Quelques maqroudh *vous permettront d'attendre le prochain repas.*

103

Tunisie regorgent de poissons. Rougets, daurades, sardines, thons, loups de mer et mérous y tiennent particulièrement la vedette. Le poisson peut entrer dans la préparation de l'*odjja* ou du *couscous*, mais le plus souvent, il est tout simplement grillé ou poché et servi seul, en plat principal.

Les eaux tunisiennes sont également riches en fruits de mer, notamment en crevettes, en poulpes et en calmars. Le *brik aux fruits de mer*, farci de poissons et de crevettes, et servi avec une sauce à la crème et au vin blanc, est une entrée particulièrement prisée.

Desserts. Un repas se termine souvent par des fruits frais – melons juteux, pêches, mandarines, figues, dattes et abricots –, mais en matière de desserts, les Tunisiens sont des becs sucrés. Un classique, le *baklava* est un feuilleté gorgé de miel, alternant couches d'amandes en poudre et fines feuilles de pâte. La ville de Kairouan est réputée pour ses *maqroudh*, petits gâteaux de semoule au miel, fourrés de pâte de dattes. L'*assida* est un dessert de semoule aux noisettes et aux œufs. On le sert décoré de pistaches, de noisettes et de pignons pilés; c'est le dessert de fête par excellence.

Les boissons

Dans les établissements de style français, le **café** est généralement fort et noir. Vous pouvez également commander des cafés au lait. Le café turc, quant à lui, est noir et sucré et servi, avec le marc, dans de très petites tasses.

Le **thé à la menthe**, ou thé vert, est un délicieux breuvage rafraîchissant, très sucré, agrémenté de quelques feuilles de menthe fraîche. Il est généralement servi brûlant, dans de petits verres. Le thé ordinaire, ou thé rouge, que l'on laisse longuement infuser, est lui aussi servi très sucré.

Pour rester dans le domaine des boissons sans alcool, vous pourrez profiter de votre séjour pour goûter à la variété des fruits tunisiens, et aux délicieux **jus de fruits** qui vous rafraîchiront, même en été.

Tous les restaurants servent de l'**eau minérale**; citons parmi les eaux plates, la *Safia* – la plus courante des eaux de table – et l'*Aïn Oktor*; l'*Aïn Garci* est une eau gazeuse très rafraîchissante.

La loi islamique interdit la consommation de boissons alcoolisées. Par conséquent, les musulmans stricts se limitent au thé à la menthe et à l'eau minérale. Dans ce pays tolérant, ceux qui apprécient le vin et ceux qui s'abstiennent d'en consommer dînent en général paisiblement côte à côte. Les visiteurs trouveront sans difficulté du vin, de la bière, ainsi que des alcools dans tous les bars, hôtels et restaurants des stations touristiques.

Les nombreux **vins** de Tunisie méritent d'être goûtés car

La cérémonie du thé

Une visite dans une maison tunisienne ne serait pas complète sans l'amical rituel de la préparation du thé. Cet honneur est généralement réservé à un hôte important.

La théière d'argent, d'étain ou d'émail est rincée à l'eau bouillante, puis vidée. On y place alors du thé vert et une branche de menthe fraîche, et l'on arrose le tout d'une petite quantité d'eau bouillante, que l'on fait tourner dans la théière avant de la vider. On ajoute ensuite le sucre, et on remplit la théière d'eau bouillante sortant d'une bouilloire en cuivre.

On laisse infuser quelques minutes. Puis, en tenant le pot à bonne hauteur, on emplit un verre de cette infusion pour en apprécier la «force» à la couleur, avant de le reverser dans la théière. On en tire à nouveau un verre pour juger de sa douceur, et l'on rajoute éventuellement du sucre. Dès lors, le thé est prêt. Inutile de souligner que le succès de cette cérémonie dépend de l'habileté du maître ou de la maîtresse de céans à verser, de plus en plus haut, le breuvage en longs jets fumants.

ils sont excellents. À peine arrivés en Tunisie, les colons phéniciens y plantèrent leurs premiers ceps: le pays se prévaut donc d'une histoire viticole plus que millénaire. La viticulture se développa sous l'occupation romaine, bénéficiant de nouvelles techniques importées de la péninsule. Une période d'austérité s'installa avec l'islamisation, et le raisin ne se vendit alors plus qu'en grappes. Lors de l'instauration du Protectorat français, la production reprit et s'intensifia. De nos jours, équipées des installations les plus modernes, les exploitations viticoles du pays n'ont rien à envier à leurs homologues étrangères.

De très nombreux crus retiendront l'attention des connaisseurs. Parmi les rouges, les *Coteaux de Hammamet* et le *Magon* méritent une mention spéciale. Le *Sidi Raïs* vient en tête des blancs de qualité. Pour leur part, les amateurs de vins doux apprécieront le *Muscat sec de Kélibia*, un produit de grande classe, au bouquet très particulier, agréable au dessert comme à l'apéritif.

Vous remarquerez aussi que nombre de marques françaises d'**apéritifs** et de spiritueux sont présentées sur les rayonnages des cafés et des bars tunisiens. Vous trouverez également des produits d'importation, tels que le whisky, et diverses bières, mais ces boissons sont d'un prix bien entendu plus élevé que les produits locaux. Pour ménager votre bourse, goûtez aux délicieuses spécialités tunisiennes telles que la *Boukha* (que l'on prononce Bourra), une eau-de-vie blanche obtenue par la distillation de figues ou encore la *Thibarine*, une excellente liqueur de dattes dont le goût est étrangement proche de celui du Cointreau. Si vous vous rendez à Djerba, on vous offrira du *laghmi*, sève de palmier que les Djerbiens boivent fraîchement récoltée ou fermentée: à vos risques et périls !

En ce qui concerne les **bières**, disons que la plus populaire en Tunisie est la *Celtia*, une blonde légère, d'un goût agréable. D'ailleurs, dans certains bars, c'est la seule bière que l'on vous servira.

BERLITZ-INFO

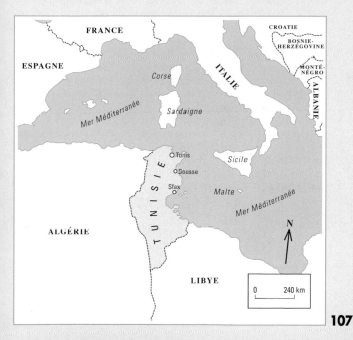

Informations pratiques classées de A à Z

A

AÉROPORTS

L'aéroport international de Tunis-Carthage se trouve à 8km au nord-ouest du centre de Tunis. C'est un complexe moderne, avec une boutique hors taxe, un bureau de change, des agences de voyage, des bureaux de location de voitures, un restaurant et un café. Des porteurs de bagages sont à la disposition des voyageurs. Les bus de la ligne n° 35 assurent la navette entre l'aérogare et la gare routière de Tunis Marine, sur l'avenue Bourguiba; ils partent toutes les demi-heures, de 5h à 22h; le trajet dure 30min. Des taxis attendent à l'extérieur du terminal et vous conduiront en 15min au centre-ville.

Certaines compagnies de charters atterrissent à l'**aéroport international Habib Bourguiba**, à Skanès-Monastir (8km à l'ouest de Monastir), qui dispose de bons services. Les visiteurs faisant partie d'un voyage organisé seront attendus par un car. Les voyageurs indépendants pourront rejoindre Monastir ou Sousse en métro: la station est à 100m de l'aérogare (un train toutes les heures de 7h à 20h).

AMBASSADES et CONSULATS

Belgique:	(ambassade) 47, rue du 1er-Juin, Tunis Belvédère; tél. (01) 781 655.
Canada:	3 rue du Sénégal, Tunis; tél. (01) 286 557.
France:	(ambassade) 2 place de l'Indépendance, Tunis; tél. (01) 347 555. (consulat) 1 rue de Hollande, Tunis; tél. (01) 333 916.
Suisse:	(ambassade et consulat) 10 rue Ech-Chenkiti, Mutuelleville, Belvédère; tél. (01) 281 917.

ARGENT

Monnaie. L'unité monétaire tunisienne, le dinar (DTU) se divise en 1000 millimes (M).

Billets: 5, 10 et 20 DTU (rare).

Pièces: 10, 20, 50 et 100 M, ½ et 1 DTU.

Le dinar est une monnaie faible, dont le taux de change est contrôlé par le gouvernement. N'essayez donc pas de trouver un taux plus attrayant, car tous les bureaux appliquent le même (voir également DOUANE ET FORMALITÉS D'ENTRÉE, pp. 116-17).

Banques et bureaux de change. Les banques ont des heures d'ouverture des plus variables. Du 1er octobre au 1er juillet, elles ouvrent en général de 8h à 11h et de 14h à 16h du lundi au vendredi; pendant le Ramadan, de 8h à 11h et de 13h à 14h30; l'été, de 7h30 ou 8h à 11h ou midi seulement. La STB (Société tunisienne de Banque) est la plus efficace. Pour un retrait d'argent, adressez-vous au guichet; un employé remplira les formulaires, et vous donnera un reçu ou un jeton que vous porterez à la caisse, où vous recevrez enfin votre argent. Cette procédure vous oblige à faire la queue deux fois, et l'opération peut être longue.

Dans les stations touristiques les plus populaires, telles que Monastir et Hammamet, vous trouverez des kiosques de change indépendants des banques; il sont souvent ouverts de 8h à 20h, y compris le week-end. Les bureaux de change des aéroports sont généralement ouverts jour et nuit, mais ferment bien souvent entre les arrivées des vols.

Chèques de voyage. Ils sont acceptés par la majorité des banques (sans commission) et des hôtels. Des petites succursales pourront les refuser et vous orienter vers un autre établissement. Pour toute opération, ayez votre passeport et les accusés de réception; aucune commission ne vous sera prélevée. La plupart des boutiques et hôtels touristiques peuvent également échanger les chèques de voyage.

Cartes de crédit. Les cartes les plus connues sont généralement acceptées dans les grands hôtels (3 étoiles et plus) et restaurants des grandes villes, dans les boutiques touristiques et les agences de location de voitures. Vérifiez avant d'effectuer tout achat.

POUR ÉQUILIBRER VOTRE BUDGET

Voici, à titre indicatif, une liste de prix exprimés en dinars tunisiens (DTU) et en millimes (M). Du fait de l'inflation, ils n'ont qu'une valeur approximative.

Aéroport *(transfert)*. Taxi de l'aéroport de Tunis au centre-ville, 2 DTU environ (5 DTU la nuit); bus, 500 M; métro de l'aéroport de Monastir à Monastir, 700 M.

Bus. Bus public, tarif unique de 350 M. Cars (intervilles) Tunis-Sousse, 2.500 DTU; Tunis-Tabarka, 3.500 DTU; Tunis-Kairouan, 3.450 DTU.

Camping. Terrains officiels, 2 DTU environ par personne, plus 2 DTU pour la voiture et 1 DTU pour la caravane.

Excursions. Excursion d'une journée d'Hammamet à Tunis, Sidi Bou Saïd et Carthage, 22 DTU. «Safari» de 3 jours en Land Rover dans le Sud tunisien au départ de Sousse, 80 DT.

Hôtels. (chambre double avec bain, petit déjeuner compris, en été). * 18 DTU, ** 30 DTU, *** 50 DTU, **** 75 DTU, ****L 100 DTU et plus.

Location de vélos et de vélomoteurs. Vélos, 1 DTU l'heure, 6 DTU la journée. Vélomoteurs, 4 DTU l'heure, 18 DTU la journée.

Location de voitures. *Renault Super 5*: 30 DTU par jour plus 290 M par kilomètre; 550 DTU pour une semaine, kilométrage illimité. Carburant, environ 570 M le litre.

Métro. À Tunis, du centre-ville au musée du Bardo, 700 M. Train TGM: aller simple du centre-ville à Sidi Bou Saïd, 500 M.

Musées et sites. Entrée dans la plupart des musées et des sites archéologiques, 1 DTU; le Bardo, Carthage, El Djem et Kairouan 2 DTU. Supplément pour les appareils photos, les caméras et les caméscopes, 1 DTU.

Repas et boissons. Par personne, boisson incluse: déjeuner dans un café, 5-10 DTU, dans un restaurant au bord de la mer, 25 DTU; dîner dans un hôtel, 15-20 DTU, dans un bon restaurant, à partir de 30 DTU. Café, 500 M-1 DTU; boisson sans alcool, 500 M-1 DTU; **110** bière, 1.500-2 DTU; bouteille d'eau minérale, 1 DTU.

Taxis. Traversée de la ville de Tunis, 1.500-2 DTU environ.

Timbres. Lettre ou carte postale par voie aérienne, 370 M.

Trains. Tunis-Sousse, première classe, 7.150 DTU, Sousse-Gabès, première classe, 11.750 DTU. Le *Lézard Rouge,* 9.500 DTU (circuit depuis Metlaoui).

Transbordeurs. Jorf-Djerba, 600 M par voiture; Sfax-îles Kerkennah, 3.500 DTU.

AUBERGES DE JEUNESSE

La Tunisie dispose d'une vingtaine d'auberges de jeunesse et Maisons de jeunes. Les plus confortables sont celles de Tunis, Aïn Draham, Gabès et Houmt Souk. Si vous projetez un hébergement en auberge de jeunesse, prenez contact avant votre départ avec l'association des auberges de jeunesse de votre pays, afin d'obtenir une carte de membre internationale. Pour toutes informations complémentaires, contactez la Fédération unie des auberges de jeunesse (FUAJ), 27 rue Pajol, 75018 Paris; tél. (1) 44 89 87 27; ou 10 rue Notre-Dame de Lorette, 75009 Paris, tél. 42 85 55 40.

B

BLANCHISSERIES et TEINTURERIES

La majorité des hôtels disposent d'un service de blanchisserie; le linge remis avant midi est généralement rendu le lendemain matin. Il n'existe pas de laveries automatiques en Tunisie.

C

CAMPING

La Tunisie ne dispose que de quelques campings officiels équipés de l'eau et de l'électricité. Les plus populaires d'entre eux se trouvent à Hammam-Lif (à 20km à l'est de Tunis), Hammamet, Nabeul et Zarzis. Vous pourrez également faire du camping sauvage, à condition d'avoir demandé l'autorisation du propriétaire du terrain ou d'en **111** avoir informé la police locale. L'ONTT (voir OFFICES DU TOURISME, pp.123-4) fournit la liste des terrains officiels et leurs tarifs.

CLIMAT et HABILLEMENT

La Tunisie centrale et septentrionale jouit d'un climat méditerranéen, avec des étés secs et chauds et des hivers doux et pluvieux. De la mi-mai à la mi-septembre, les stations de la côte bénéficient de journées chaudes et ensoleillées avec, toutefois, quelques soirées fraîches en début et en fin de saison. La côte nord est la région la plus humide de tout le pays. En hiver, à Tunis et dans le nord du pays, le temps est souvent gris et froid.

La moitié méridionale du pays est une région désertique aux rares chutes de pluie; les températures estivales y sont très élevées, atteignant, au cœur de l'été, 40°C. La mer tempère le climat de la côte; à Djerba, la température est plus proche de 30°C.

Voici les températures journalières maximales, à Tunis et Djerba, ainsi que la température de l'eau des plages tunisiennes:

	J	F	M	A	M	J	J	A	S	O	N	D
Tunis °C	11	12	13	16	19	24	26	26	26	20	16	12
Djerba °C	11	13	16	19	21	24	27	28	26	23	16	14
eau °C	14	13	14	16	18	21	24	26	26	24	17	11

Habillement. Des mois de juin à septembre, les journées sont généralement chaudes, et de légers vêtements en coton sont tout indiqués. Les soirées, cependant, peuvent être fraîches et il est prudent de se munir d'un pull-over ou d'une veste. Emportez également une chemise à manches longues et un chapeau pour vous protéger du soleil de midi. Le reste de l'année, une veste légère et un imperméable ou un parapluie peuvent s'avérer utiles, ainsi qu'un manteau chaud pour les soirées dans le désert.

Une tenue correcte est exigée pour visiter les mosquées et autres lieux islamiques: pantalon ou jupe, chemisiers à manches longues ou **112** corsage sont l'idéal.

COMMENT Y ALLER

EN AVION

Vols réguliers

Au départ de la Belgique. Il y a deux à trois vols directs par semaine entre Bruxelles et Tunis (2h30) et plusieurs vols avec escale, notamment via Marseille (4h). Il existe aussi des vols Bruxelles-Monastir (2h40) et Bruxelles-Djerba (3h).

Au départ du Canada. Il n'existe pas de vol direct entre Montréal et Tunis. Le mieux est de changer d'avion à Paris, Londres, Zurich, Francfort ou Amsterdam.

Au départ de la France. Vous avez plusieurs vols directs par jour entre Paris et Tunis (2h15) et un vol direct hebdomadaire pour Djerba (2h40). Pour la province, citons les lignes Marseille-Tunis (1h30) et Marseille-Djerba (2h).

Au départ de la Suisse romande. La ville de Genève est reliée quatre à cinq fois par semaine à Tunis (1h50); en revanche, il n'y a pas de liaison directe entre Genève et Djerba.

Réductions et tarifs spéciaux. Les enfants (moins de 12 ans) ainsi que les jeunes (moins de 25 ans) et les personnes âgées (plus de 60 ans) peuvent bénéficier, toute l'année, de tarifs spéciaux.

Pour profiter des tarifs promotionnels offerts par les compagnies aériennes, il vous sera bien souvent demandé de réserver à l'avance, de fixer vos dates de départ et de retour ou de rester un temps minimal (et maximal) sur place. Ces opérations étant très ponctuelles, renseignez-vous directement auprès de votre agence de voyages ou des compagnies aériennes, seules à même de vous fournir les toutes dernières informations en la matière.

Charters et voyages organisés. Les vols charters sont nombreux. Principales destinations: Tunis et Djerba.

En matière de voyages organisés, diverses formules sont offertes: le voyage collectif accompagné, le voyage sur mesure pour les individualistes, et le voyage *fly-drive* (transport aérien et mise à disposition d'une voiture). Pour obtenir plus de renseignements, contactez votre agence de voyages.

113

EN VOITURE, EN TRAIN ET EN BATEAU

En voiture jusqu'à Marseille. *Au départ de Bruxelles*: vous passez par Reims, Chaumont et prenez, à Dijon, l'autoroute du Soleil (980km). *Au départ de Paris*: par les autoroutes A6 et A7 (760km). *Au départ de Genève*: vous gagnez Marseille par Chambéry, Les Échelles, et vous prenez l'autoroute à Valence (440km).

En train jusqu'à Marseille. *Au départ de Bruxelles*: le *Flandres-Riviera* (couchettes) couvre les 1200km en quelque 12h40. *Au départ de Paris*: les 863km sont parcourus en moins de 5h par le TGV (il en circule une dizaine par jour entre ces deux destinations). *Au départ de Genève*: un train de jour (parfois deux) et un de nuit circulent entre Genève et Marseille; de plus, l'Eurocity *Catalan-Talgo*, qui relie Genève à Barcelone tous les jours, peut être emprunté jusqu'à Avignon d'où une correspondance pour Marseille est assurée; les deux trains mettent un peu plus de 5h.

Services maritimes. La ligne Marseille-Tunis (La Goulette) est desservie une ou deux fois par semaine. La traversée dure 24h, et le transbordement des autos est assuré. Citons, parmi les autres lignes: Gênes-Tunis, Naples-Tunis et Palerme-Tunis.

CONDUIRE EN TUNISIE
(Voir aussi LOCATION DE VOITURES, pp.121-22)

Si vous envisagez de visiter la Tunisie avec votre propre véhicule, vous devrez posséder:

- un permis de conduire national (ou international)
- la carte grise du véhicule
- la carte verte (police d'assurance).

Un indicateur de nationalité devra être apposé près de la plaque minéralogique du véhicule et vous devrez obligatoirement être en possession d'un triangle de panne rouge. Le port du casque est obligatoire pour les motocyclistes et leurs passagers. L'âge minimum requis pour être autorisé à conduire en Tunisie est de 21 ans. Pour plus **114** de détails, contactez votre compagnie d'assurance.

Limitations de vitesse. La vitesse est limitée à 110km/h sur les autoroutes, à 90km/h sur les routes, et à 50km/h dans les villes ainsi que dans les zones habitées.

Règles et conditions de circulation. On roule bien entendu à droite et l'on double à gauche. En agglomération, les véhicules débouchant sur votre droite ont automatiquement la priorité. L'ordre de priorité varie selon les cas aux ronds-points et giratoires.

En dehors des villes, les conditions de circulation sont généralement bonnes sur les routes, peu encombrées et souvent rectilignes. Certaines routes rurales très étroites ne permettent que le passage d'un véhicule, et vous devrez vous ranger sur le bas-côté pour laisser passer les voitures qui vous croisent. Méfiez-vous des piétons et des charrettes tractées par des ânes et des motos, en particulier près des villes: ils ont tendance à s'aventurer sur la chaussée sans se préoccuper de leur sécurité, et rendent la conduite de nuit très dangereuse.

Si vous prévoyez de vous écarter des principaux axes routiers, nous vous conseillons de vous munir d'une carte détaillée. Beaucoup de petites routes ne sont pas goudronnées; par conséquent, il est préférable de ne vous y aventurer qu'avec un véhicule à quatre roues motrices et en compagnie d'un guide. Par ailleurs, n'oubliez pas que les routes qui franchissent les monts de l'Atlas peuvent être enneigées durant l'hiver.

Essence. Vous trouverez facilement de l'essence et du gazole. Les stations-service sont nombreuses dans les villes et les banlieues, mais beaucoup plus espacées dans le Sud; il est donc recommandé de penser à faire le plein en début de journée si vous avez l'intention de vous rendre dans des régions isolées. La plupart des voitures en circulation en Tunisie, y compris les voitures de location, fonctionnent au supercarburant; on ne trouve de l'essence sans plomb que dans les grandes villes.

Stationnement. Rarement un problème, sauf dans le centre de Tunis où les véhicules en infraction peuvent être rapidement emmenés à la fourrière. Vous aurez avantage à descendre dans un hôtel à Carthage ou bien à Sidi Bou Saïd, où vous pourrez laisser votre voiture, et gagner le centre-ville en métro.

Police de la route. Des policiers à moto patrouillent sur les routes principales, et établissent parfois des barrages de vérification d'identité. Ils vous demanderont peut-être votre passeport ou les papiers de location de votre voiture, mais dès qu'ils comprendront que vous êtes touriste, ils vous feront généralement signe de continuer.

Pannes. Dans la plupart des villes, on trouve facilement un mécanicien pour les petites réparations. En revanche, si vous vous trouvez en panne dans une région isolée, vous devrez généralement demander l'aide des voitures qui passent, ou même effectuer la réparation vous-même. Si vous avez loué une voiture, suivez la procédure indiquée par la compagnie de location.

Dans le sud du pays, les conducteurs projetant de s'écarter des routes principales devront disposer d'un véhicule équipé pour le désert et informer la Garde nationale de la ville la plus proche de leur destination et itinéraire.

Signalisation routière. La signalisation sur les routes est généralement bonne, et pratiquement toutes les directions sont données en français et en arabe. Les autres signaux sont conformes aux normes internationales.

D

DÉCALAGE HORAIRE

La Tunisie vit toute l'année à l'heure de l'Europe centrale (TU + 1). En été, lorsqu'il est 11h à Tunis, il est midi à Paris, Bruxelles et Genève, et 6h à Montréal.

DOUANE et FORMALITÉS D'ENTRÉE

Passeports et visas. Pour entrer en Tunisie pour un séjour de moins de trois mois, les ressortissants français, suisses et canadiens doivent être munis d'un passeport en cours de validité. Les habitants de la Belgique et du Luxembourg, quant à eux, doivent présenter un passeport valide ainsi qu'un visa. Votre passeport devra être valide **116** encore au moins trois mois à partir de votre date d'arrivée.

Durant le vol, vous devrez remplir une fiche d'immigration; celle-ci vous sera demandée à l'arrivée avec votre passeport.

Achats hors taxe. Les restrictions d'importation suivantes s'appliquent à l'entrée en Tunisie: 200 cigarettes **ou** 50 cigares **ou** 400g de tabac, 1l d'alcool.

Au retour dans votre pays, les restrictions d'importation sont les suivantes: *Belgique*: 200 cigarettes **ou** 50 cigares **ou** 250g de tabac, 1l d'alcool **et** 2l de vin. *Canada*: 200 cigarettes **et** 50 cigares **et** 400g de tabac, 1,1l de vin **ou** 1,1l d'alcool **ou** 8,5l de bière. *France*: 200 cigarettes **ou** 50 cigares **ou** 250g de tabac, 1l d'alcool (de 22° ou plus) **ou** 2l d'alcool (de 22° ou moins) **ou** 2l de vin. *Suisse*: 200 cigarettes **ou** 50 cigares **ou** 250g de tabac, 1l d'alcool (de 15° ou plus) **et** 2l d'alcool (de 15° ou moins).

Restrictions monétaires. Vous pouvez entrer et sortir de Tunisie autant de devises étrangères que vous le désirez; cependant vous devez déclarer les sommes supérieures à l'équivalent de 500 dinars lors de votre arrivée. À la fin de votre séjour, vous ne pourrez reconvertir que 30% des dinars qui restent en votre possession (sur présentation de vos récépissés de change), la somme à échanger ne devant pas excéder 100 dinars. Sachez également qu'il est illégal d'entrer ou de sortir des dinars de Tunisie.

E

EAU

L'eau du robinet est considérée comme potable pratiquement partout en Tunisie, mais il vaut mieux éviter de la boire. On trouve partout des bouteilles d'eau minérale – la *Safia* et l'*Aïn Oktor* sont les plus populaires. L'*Aïn Garci* est une eau gazeuse.

ÉLECTRICITÉ

Les installations électriques sont en 220 volts, 50 hertz. Les prises de courant sont de type français, à deux fiches rondes.

GUIDES et EXCURSIONS

Si vous faites partie d'un voyage organisé, un guide vous accompagnera lors de la visite de ruines romaines ou de la médina de Tunis. Pour les voyageurs indépendants, les offices du tourisme les mettront en contact avec des guides locaux.

Des «guides» officieux guettent le client à l'entrée des médinas des villes touristiques. Ils peuvent se faire très insistants – si vous ne voulez pas de leurs services, montrez-vous ferme mais poli et restez calme. Si vous décidez de faire appel à l'un d'eux, ne serait-ce que pour vous débarrasser des autres, dites-lui précisément à l'avance ce que vous voulez voir, et négociez le tarif de ses services (vous ne lui offrirez pas plus de la moitié de ce que vous auriez payé pour un guide officiel). Il tentera de vous attirer dans une boutique, sous le prétexte de vous montrer une «exposition» ou un «musée» de tapis ou d'artisanat, ou bien de vous emmener prendre un verre de thé à la menthe avec un ami. C'est toujours un mensonge, destiné à vous attirer dans un commerce où il percevra une commission. Si vous ne voulez rien acheter, refusez poliment d'entrer.

HORAIRES

Banques. Du 1er octobre au 1er juillet: de 8h à 11h et de 14h à 16h du lundi au vendredi; le reste de l'année: de 7h30 ou 8h à 11h ou midi uniquement; durant le Ramadan: de 8h à 11h et de 13h à 14h30.

Bureaux de change. De 8h à 18h tous les jours dans les stations touristiques populaires (Hammamet, Monastir, etc.).

Bureaux de poste. De 7h30 à midi et de 16h30 à 18h30 du lundi au vendredi (1er juillet au 15 septembre); de 8h à midi et de 15h à 18h du lundi au vendredi (16 septembre au 30 juin) et de 8h à midi le samedi. Durant le Ramadan, de 9h à 13h30 du lundi au samedi.

Magasins. Horaires variables; habituellement de 8h30 à midi et de 16h à 19h (de 15h à 18h en hiver).

Musées. Bardo: de 9h30 à 16h30, fermé le lundi et les jours fériés; musée de Carthage: tous les jours de 7h à 19h en été (de 8h à 18h en hiver); musée archéologique de Sousse: tous les jours de 8h à midi et de 15h à 19h en été (de 9h à midi et de 14h à 18h en hiver).

Sites archéologiques. De 8h à 18h tous les jours.

HÔTELS et LOGEMENT

(Voir aussi Auberges de jeunesse, p.111, Camping, pp.111-12 et notre sélection d'hôtels recommandés, pp.66-9)

Hôtels. Les hôtels du littoral sont souvent de premier ordre, bien gérés, et leurs prix restent raisonnables – surtout si votre chambre est incluse dans un voyage organisé. Les chambres à un lit, toutefois, peuvent être assez chères.

Les grandes villes disposent d'un bon choix d'hôtels pour toutes les bourses. Les établissements sont répertoriés par l'Office national du tourisme tunisien (ONTT, voir pp.123-4), et classés par catégorie: de une à quatre étoiles-Luxe (****L). Les tarifs comprennent le service et les taxes, et doivent être affichés dans les chambres. Les prix sont sensiblement plus avantageux en basse saison (d'octobre à mai).

Marhalas. Le Touring Club de Tunisie et le gouvernement tunisien ont ouvert des *marhalas* (auberges) dans des bâtiments d'intérêt historique. À Houmt Souk, Kairouan et Nefta, les *marhalas* occupent d'anciens caravansérails; à Matmata, l'une d'elles a pour cadre une maison troglodyte et, dans le sud du pays, plusieurs *ksour* ont été aménagés en logis simple, propre, bon marché et original.

J

JOURS FÉRIÉS

Il existe deux types de jours fériés en Tunisie – les fêtes séculières, qui ont lieu chaque année à la même date, et les fêtes religieuses (qui varient en fonction du calendrier lunaire). Les banques, les bureaux **119** de poste, les administrations et beaucoup de commerces sont fermés lors des fêtes séculières suivantes:

1er Janvier	*Jour de l'An*
20 mars	*Fête de l'Indépendance*
21 mars	*Fête de la Jeunesse*
9 avril	*Anniversaire des Martyrs*
1er mai	*Fête du Travail*
25 juillet	*Fête de la République*
13 août	*Fête de la Femme*
7 novembre	*Fête de la Nouvelle Époque (Anniversaire des événements de 1987)*

Les fêtes religieuses suivantes sont célébrées par deux journées de congé. Le service des transports publics est parfois réduit. Nous donnons ici les dates approximatives de ces fêtes en 1995; elles tomberont environ 11 jours plus tôt l'année suivante:

1er mars 1995	*Aïd es-Seghir*	«Petite Fête», fin du Ramadan
10 mai 1995	*Aïd el-Kebir*	«Grande Fête», célébration du sacrifice d'Abraham
5 juillet 1995	*Moharem*	Nouvel an musulman
18 août 1995	*Mouloud*	Anniversaire du Prophète

Le Ramadan dure les quatre semaines précédant l'Aïd es-Seghir. Pendant cette période, banques, magasins et entreprises ont des horaires particuliers (voir aussi le CALENDRIER DES FESTIVITÉS, p.96).

LANGUE

La langue officielle de la Tunisie est l'arabe, mais la majorité de la population, surtout dans les villes, parle le français. La plupart des panneaux et des noms de rues sont inscrits dans les deux langues. En revanche, dans les petites localités ou villages reculés, vous aurez parfois quelques difficultés à vous faire comprendre. Bien que la langue écrite soit la même dans tout le monde arabe, le dialecte parlé en Tunisie est spécifique. Les voyageurs ayant appris l'arabe au Moyen-Orient auront quelque peine à le maîtriser.

Les Tunisiens ne s'attendent pas à ce que vous parliez l'arabe, et vous accueilleront en français, mais connaître quelques expressions élémentaires est une marque de politesse. Ils apprécieront vos tentatives pour parler leur langue. Le *Guide de conversation Berlitz – ARABE* vous permettra de faire face à toutes les situations.

Bonjour	**S'báh 'l khéyr**
Bonjour (l'après-midi)	**Msá 'l khéyr**
Bonne nuit	**Tis 'báh 'l khéyr**
S'il vous plaît	**Min fádlak**
Merci	**Bárakallahúfik, shókran**
Il n'y a pas de quoi	**Áfwen**
Au revoir	**Beslémeh**

LOCATION DE BICYCLETTES et DE MOTOS

On peut louer des bicyclettes et des motos à Nabeul, Hammamet et Houmt Souk. Un dépôt de garantie (ou une carte de crédit) est exigé et un permis de conduire valide est nécessaire pour toute moto de plus de 50cc. Inspectez bien l'engin avant de le prendre, car vous devrez le faire réparer avant de le rendre en cas de panne. Demandez si le tarif de location des motos et cyclomoteurs comprend les taxes et l'assurance. Ce n'est généralement pas le cas, et alourdit considérablement la facture. N'oubliez pas que les deux-roues peuvent être très dangereux. Soyez prudent jusqu'à ce que vous maîtrisiez bien votre véhicule. On déplore en effet chaque année de nombreux accidents graves impliquant des touristes à moto ou cyclomoteur.

LOCATION DE VOITURES

(Voir aussi CONDUIRE EN TUNISIE, pp.114-16)

La location de voitures en Tunisie est plus chère qu'en Europe, mais c'est un moyen idéal de découvrir le pays. Une voiture vous permet **121** de voyager en toute liberté à votre rythme et d'explorer des lieux inaccessibles par les transports publics. On trouve de nombreux bureaux de location de voitures dans les villes et les stations balnéaires. Les compagnies locales sont généralement beaucoup moins chères que les sociétés internationales, mais les prix sont très variables. Cherchez le meilleur tarif avant de prendre une décision. Méfiez-vous toujours d'une agence recommandée par un «guide»: il touchera certainement une commission.

Pour bénéficier du meilleur prix, réservez votre voiture avant de partir, soit directement par une agence de location internationale, soit auprès de votre agence de voyages. Assurez-vous que le tarif comprend l'assurance tous risques, le kilométrage illimité, une assurance personnelle et les taxes, car ces suppléments peuvent considérablement alourdir le prix de la location.

Il faut être âgé d'au moins 21 ans et disposer d'un permis de conduire de type européen depuis au moins 12 mois pour louer une voiture. On vous demandera aussi votre passeport et une carte de crédit – les cautions en liquide sont prohibitives.

M

MÉDIAS

Journaux. Les journaux tunisiens en français, comme *La Presse*, *L'Action* et *Le Temps*, donnent des informations assez clairsemées concernant l'Afrique du Nord, le monde et les sports. On trouve aussi, presque dans la plupart des kiosques, les quotidiens français *Le Monde* et *Le Figaro*.

Radio et télévision. Les stations de radio locales offrent un choix de musique traditionnelle tunisienne, d'informations, de sports et d'affaires courantes en français et en arabe. Vous pourrez également capter les principales stations européennes.

Dans les hôtels luxueux, votre chambre disposera d'un téléviseur. Trois chaînes sont diffusées: une chaîne nationale et deux étrangères (France 2 et la Rai Uno). Certains hôtels offrent la réception par satellite de TV5 (France) et d'autres programmes internationaux.

OBJETS TROUVÉS (Voir aussi Vols et Délits, p.131)

Demandez le conseil du réceptionniste de votre hôtel ou de l'office de tourisme local avant de contacter la police. Si vous avez oublié un objet dans les transports publics, demandez au réceptionniste de téléphoner à la station d'autobus ou de train, ou à la compagnie de taxi.

OFFICES DU TOURISME

L'Office national du tourisme tunisien – l'ONTT – a son siège à Tunis et dispose de bureaux dans toutes les villes et les stations touristiques du pays. Le personnel pourra répondre à vos questions, vous conseiller à propos des hôtels de la région (pas de service de réservation), et vous fournir divers plans et brochures. Vous trouverez ci-dessous les adresses des principaux bureaux:

Tunis: 1 avenue Mohammed-V; tél. (01) 341 077

Djerba: Avenue Habib-Bourguiba; tél. (05) 650 016

Hammamet: Avenue Habib-Bourguiba; tél. (02) 280 423

Kairouan: Avenue de la République (en face de l'hôtel Continental); tél. (07) 221 797

Monastir: Rue de l'Indépendance; tél. (03) 461 960

Nabeul: Avenue Taieb-M'Hiri; tél. (02) 286 737

Skanès: Quartier Chraka; tél. (03) 4612 05

Sousse: 1 avenue Habib-Bourguiba; tél. (03) 425 157

Tozeur: Avenue Abou-El-Kacem-Chebbi, tél. (06) 250 503

Ils sont généralement ouverts de 8h30 à 13h et de 15h à 17h45 du lundi au jeudi, de 8h30 à 13h30 le vendredi et le samedi (de 7h30 à 13h30 en juillet et en août), et sont fermés le dimanche. La plupart des villes possèdent également un syndicat d'initiative géré par les autorités locales.

L'ONTT possède des bureaux à l'étranger (voir page suivante), qui pourront vous fournir divers renseignements avant votre départ, notamment une liste des hôtels et des terrains de camping.

Belgique:	60 galerie Ravenstein, 1050 Bruxelles; tél. (02) 51 11 42/514 23 23
Canada:	Ambassade tunisienne, 515 Oscannor Street, Ottawa; tél. (613) 237-0330
France:	32 avenue de l'Opéra, 75002 Paris; tél. (1) 47 42 72 67
Suisse:	Tunesische Fremdenverkehrsbüro, Bahnhofstrasse 69, 8001 Zurich; tél. (01) 211 48 30

P

PHOTOGRAPHIE

On trouve en Tunisie la plupart des marques de pellicules et de films, mais leur prix est élevé; par conséquent, il est recommandé de les acheter dans votre pays, avant de partir. Les boutiques de photo des principales villes du pays pourront développer vos pellicules couleur en 24 ou 48h à des tarifs raisonnables. N'oubliez qu'il faut protéger vos films des effets de la chaleur, et qu'il ne faut jamais laisser un appareil photo au soleil. Il arrive que l'utilisation du flash et des trépieds soit interdite dans certains musées: vérifiez toujours les panneaux qui sont accrochés à l'entrée.

Sachez que les vendeurs d'eau et autres personnages typiquement tunisiens que vous rencontrerez dans les zones touristiques vous demanderont toujours quelques dinars pour vous autoriser à les photographier. De même, si vous souhaitez photographier des Tunisiens lors de votre visite des régions plus isolées, n'oubliez pas de leur demander d'abord leur permission.

POLICE (Voir aussi URGENCES, p.131)

Les agents de la Sûreté nationale portent un uniforme gris-bleu. La plupart des villes disposent d'un poste de police ou d'une gendarmerie. Le numéro d'urgence de la police est le **197**. La Sûreté nationale patrouille également sur les routes et effectue des contrôles du trafic (voir aussi CONDUIRE EN TUNISIE, pp.114-16).

124

POSTES et TÉLÉCOMMUNICATIONS

(Voir aussi Décalage horaire, p.116, et Horaires, pp.118-9)

Bureaux de poste. Les postes tunisiennes se chargent du courrier, des colis, des télégrammes et du téléphone. Les bureaux de poste sont généralement ouverts du lundi au vendredi de 7h30 à 12h30 et de 16h30 à 18h30 (1er juillet au 15 septembre); de 8h à midi et de 15h à 18h (16 septembre au 30 juin); le samedi de 8h à midi. Durant le Ramadan, ils ouvrent de 9h à 13h30 du lundi au samedi.

Les bureaux de poste les plus importants prolongent leur horaires pour la vente de timbres et pour le dépôt de télégrammes. À Tunis, Sfax, Houmt Souk et Sousse, ces services sont disponibles 24h sur 24. Les timbres sont également en vente dans les bureaux de tabac, à la réception des hôtels ainsi que dans les boutiques qui vendent des cartes postales.

Poste restante. Si vous ne connaissez pas votre adresse à l'avance, vous pouvez vous faire adresser du courrier au service de poste restante dans la ville de votre choix; sur l'enveloppe devra être inscrit R.P. (*Recette Postale*) et votre nom devra être souligné:

M. Jean Dupont
Tunis RP, Rue Charles-de-Gaulle
Tunis
Tunisie

Votre courrier vous attendra à la poste principale, moyennant une somme modique. Les noms européens provoquent parfois des confusions; aussi, si vous attendez du courrier et que rien ne figure à votre nom, demandez au personnel de vérifier sous votre prénom, voire sous M., Mme ou Mlle. N'oubliez pas de vous munir de votre passeport pour tout retrait.

Téléphones. On peut passer des appels pour la Tunisie et l'étranger depuis les bureaux de poste principaux et les cabines publiques dans la rue, qui acceptent les pièces de 100 M, 500 M et 1 DTU.

Pour un **appel national**, décrochez l'appareil, insérez vos pièces et composez simplement le numéro de votre correspondant, y compris le code régional à deux chiffres si vous appelez dans une autre ville. (**N.B.**: tous les numéros à cinq chiffres ont été dernièrement **125** changés en numéros à six chiffres. Si vous composez un ancien numéro, un message enregistré en français, anglais et arabe, vous donnera le chiffre supplémentaire à ajouter.)

Pour les **appels internationaux**, composez d'abord le 00, attendez la tonalité, puis composez le code national du pays demandé (Belgique: 32; Canada: 1; France: 33; Suisse: 41), suivi du numéro complet de votre correspondant, y compris le code régional. Pour effectuer un **appel en PCV**, composez le numéro de l'opératrice internationale et demandez à être mis en correspondance avec une opératrice de votre pays.

POURBOIRES

Il est d'usage de donner un pourboire pour les divers services rendus. On donnera 100 M aux garçons de café, aux porteurs, aux pompistes et aux gardiens de musées et de monuments. Dans les restaurants, les serveurs s'attendent à un pourboire de 500 M ou bien à 10% par personne, en plus du service. En ce qui concerne les chauffeurs de taxi, ajoutez entre 10 et 15% au montant affiché au compteur; en revanche, si vous avez négocié le tarif de la course à l'avance, le chauffeur n'attendra pas de supplément.

R

RÉCLAMATIONS

En cas de réclamation, allez d'abord parler au directeur de l'établissement en cause. Si vous n'obtenez pas satisfaction, demandez à ce qu'on vous apporte le livre des réclamations. La loi exige que tous les hôtels, restaurants et guides officiels disposent d'un livre de ce type. Il suffit généralement de le demander pour qu'on accepte de régler le problème. Dans le cas contraire, demandez conseil auprès de l'office du tourisme local (voir OFFICES DU TOURISME, pp.123-4). Afin d'éviter les ennuis de surfacturation, négociez toujours les prix à l'avance, en particulier avec les guides, les chauffeurs de taxi et les porteurs dans les gares.

RELIGION

La Tunisie est un pays musulman, mais on y est très tolérant envers les autres religions. Les chrétiens ne représentent que 0,3% de la population. On trouve des églises catholiques et des église protestantes dans la plupart des villes importantes, notamment à Tunis. Les grandes villes disposent également de synagogues. Vous pourrez obtenir des détails sur les offices religieux auprès des offices du tourisme locaux (voir OFFICES DU TOURISME, pp.123-4).

SANTÉ et SOINS MÉDICAUX

Il n'existe pas de services de santé gratuits en Tunisie; tous les soins sont payants. Il est donc fortement conseillé de souscrire une assurance adéquate avant le départ.

Les principaux risques pour la santé en Tunisie viennent de la contamination des aliments et de l'eau, ainsi que du soleil. Un coup de soleil risque de perturber sérieusement vos vacances. On peut éviter la dysenterie en consommant uniquement des aliments frais, et en buvant de l'eau ou des boissons en boîtes ou en bouteilles (sans glaçons). Évitez les restaurants qui semblent sales, les aliments vendus sur des étals dans la rue, la viande mal cuite, les salades et les fruits (sauf ceux que vous pouvez éplucher vous-même, comme les bananes, les oranges, les melons, etc.), les produits laitiers et l'eau du robinet. Dans les hôtels et restaurants touristiques, l'hygiène est généralement bonne, mais on n'est jamais trop prudent.

Pour remédier à tous les petits troubles de santé, rendez-vous dans la pharmacie la plus proche. Les pharmacies ont généralement les mêmes horaires que les magasins. La nuit, une pharmacie de garde reste ouverte dans chaque ville; son adresse est affichée à la devanture des autres officines.

Vaccins. Aucun vaccin n'est obligatoire pour entrer en Tunisie. Cependant, les injections contre le tétanos, la polio, la typhoïde et l'hépatite A sont conseillées, notamment pour les voyageurs indépendants qui ont l'intention de vivre près de la nature.

SAVOIR-VIVRE

Les Tunisiens sont un peuple amical, courtois et hospitalier – ne laissez pas les importuns que l'on trouve dans les villes comme Sousse et Kairouan influencer votre opinion. Les Tunisiens sont respectueux et tolérants, et vous vous devez naturellement de faire preuve du même respect pour leurs coutumes et leurs sensibilités.

Il est habituel de serrer la main d'une personne que l'on rencontre, avant de poser brièvement la main droite sur le cœur. Si vous avez la chance d'être invité dans un foyer tunisien, n'oubliez pas de vous déchausser avant d'entrer.

En Tunisie, il est particulièrement important de surveiller sa tenue vestimentaire: en dehors des plages, celle-ci doit toujours être très convenable (voir aussi SPÉCIAL VOYAGEUSES, ci-dessous). Faute d'une tenue décente, on s'abstiendra de pénétrer dans les lieux de culte: mosquée, église ou synagogue.

SPÉCIAL VOYAGEUSES

Malheureusement, les femmes qui voyagent seules en Tunisie sont souvent importunées par les Tunisiens. Cela peut aller des sifflets et des petites remarques aux commentaires grossiers. Une femme accompagnée par un homme attirera moins l'attention, mais ne sera pas pour autant à l'abri. Cela dit, la plupart des Tunisiens sont courtois et amicaux, et font preuve d'une hospitalité sincère.

La tenue vestimentaire est importante: évitez les shorts et les T-shirts moulants (sauf dans des stations telles que Hammamet ou Monastir, où la tenue de plage est la norme, ou encore à Tunis où les jeunes suivent la mode européenne). Pour plus de tranquillité, il vaut mieux porter un pantalon, ou une jupe assez longue, et un chemisier à manches longues et sans décolleté. Évitez de croiser le regard des hommes, et ignorez les commentaires grossiers.

Si vous souhaitez rencontrer des femmes tunisiennes, le meilleur endroit est le *hammam* (bain public), où l'ambiance est détendue et amicale. Vous serez certainement assaillie de questions à propos du mode de vie en Europe.

TOILETTES

Les toilettes publiques sont rares en dehors des aéroports et des gares ferroviaires importantes; en cas de nécessité, faites usage des toilettes dans un café ou dans un restaurant. S'il y a un préposé, laissez-lui un petit pourboire.

TRANSPORTS

Autobus et autocars. L'ensemble du pays est sillonné par un réseau complet de lignes d'autocars. Les autocars de la SNTRI (Société nationale de transport rural et interurbain) relient Tunis aux principales villes du pays, des compagnies locales assurant la desserte des villages alentours. Les tarifs sont avantageux et les billets doivent être achetés avant le départ aux guichets des gares routières. Pour les horaires, informez-vous auprès du bureau local de l'ONTT, du syndicat d'initiative ou du chauffeur de bus. Les destinations sont données en français et en arabe. Voici quelques trajets populaires (avec leur durée approximative): *Tunis–Sousse*, 12 départs quotidiens, 2h15; *Tunis–Kairouan*, 6 départs quotidiens, 4h; *Tunis–Tabarka*, 7 départs quotidiens, 4h; *Sousse–Sfax*, 5 départs quotidiens, 2h30; *Sfax–Tozeur*, un départ quotidien, 5h30.

Tunis possède un bon réseau d'autobus. Le plan du réseau est affiché au terminus des lignes.

Transbordeurs. Il existe deux services de ferry: Jorf–Ajim, sur l'île de Djerba (départ toutes les 30min, durée du trajet 15min) et Sfax–îles Kerkennah (4 traversées par jour en 1h15).

Voitures de louage. Sur les courts trajets entre les villes, les *voitures de louage* (ou *louages*) constituent une alternative un peu plus confortable que l'autocar. Il s'agit de mini-bus pouvant accueillir jusqu'à six passagers et qui font la navette sur un itinéraire fixe. Il n'y a pas d'heures de départ précises; le taxi part simplement dès qu'il est plein. Pour trouver une place, contentez-vous de vous présenter au «terminal» (l'office du tourisme ou le réceptionniste de votre hôtel pourra vous l'indiquer) et renseignez-vous auprès des **129**

chauffeurs. Les tarifs s'entendent par personne pour un taxi complet; il est donc recommandé de demander aux autres passagers (ou au réceptionniste de votre hôtel) quel est le tarif habituel afin d'éviter les mauvaises surprises.

Métro. Tunis possède un petit réseau de métro. La ligne la plus pratique est la n° 4, qui relie la place Barcelone au centre-ville (via la ligne 2 avec un changement à République) au musée du Bardo. Le métro assure des correspondances (via la gare de Tunis Marine, au bas de l'avenue Habib-Bourguiba) avec les trains TGM (Tunis-Goulette-Marsa), qui circulent toutes les 15min à destination de Carthage, Sidi Bou Saïd et La Marsa.

Un métro relie aussi Monastir à Sousse, avec un arrêt à l'aéroport international de Monastir et au quartier hôtelier de Skanès. Les trains circulent toutes les heures de 7h à 20h.

Taxis (voir aussi Voitures de louage, p.129). Vous pourrez héler les taxis dans la rue ou attendre à la station. Les taxis sont équipés d'un compteur et les tarifs, comparés à ceux pratiqués dans les pays européens, sont relativement bas. Tous les chauffeurs appliquent une surtaxe de nuit (50% du montant de la course), qui est perçue de 22h à 6h d'avril à septembre et de 21h à 7h d'octobre à mars.

Trains. La SNCFT (Société nationale des chemins de fer tunisiens) gère un réseau limité, mais efficace, de Tunis à Tabarka, au nord, et de Tunis à Nabeul, Sousse, Sfax, Gabès, Gafsa et Tozeur, au sud. Les trains des lignes principales sont confortables et bon marché (légèrement plus lents mais plus confortables que les bus). Il existe trois classes de voitures: grand confort, première et seconde classes. Des horaires détaillés sont affichés dans les gares principales. Achetez votre billet un jour à l'avance pour pouvoir disposer d'une place dans une voiture grand confort climatisée. De Tunis, le trajet jusqu'à Sousse dure 3h et 7h jusqu'à Gabès.

Un petit train touristique appelé le *Lézard Rouge* offre des vues impressionnantes sur la spectaculaire gorge de Seldja depuis ses voitures datant du XIXe siècle et minutieusement restaurées. Ce train part de Metlaoui (voir p.74).

URGENCES (Voir aussi AMBASSADES, p.108, et POLICE, p.124)

Police	197
Ambulance	197
Feu	198

VISITEURS HANDICAPÉS

Les aménagements prévus pour les personnes handicapées sont très limités en Tunisie. Se déplacer en chaise roulante au centre des villes et dans les médinas est difficile, voire impossible. Quant aux transports publics, ils sont encore inaccessibles aux handicapés. Quelques hôtels, parmi les plus modernes, disposent des équipements nécessaires. Renseignez-vous quant aux différents moyens d'accès avant de réserver votre chambre. Sur place, l'AGIM (Association générale des insuffisants moteurs) répondra à vos questions; tél. (01) 520 365.

VOLS et DÉLITS (Voir aussi POLICE, p.124)

Le taux de criminalité est faible en Tunisie. Les touristes subissent rarement des vols, et les agressions physiques sont presque inconnues. Il convient néanmoins de prendre quelques précautions d'usage, notamment dans les grandes villes: ne portez pas sur vous de grosses sommes d'argent en liquide, laissez vos objets de valeur dans le coffre de votre hôtel, et surtout pas dans votre chambre d'hôtel, et méfiez-vous des pickpocket qui sévissent dans la foule. Ne laissez jamais vos sacs ou des objets de valeur en vue dans une voiture en stationnement; prenez-les plutôt avec vous ou enfermez-les dans le coffre arrière de votre véhicule. Le vol ou la perte d'un objet doit immédiatement être signalé au poste de police le plus proche pour que votre assurance fonctionne. En cas de perte ou de vol de votre passeport, contactez votre consulat (voir AMBASSADES ET CONSULATS, p.108).

Index

Les chiffres en caractère **gras** renvoient à la référence principale, ceux en *italique* à une photographie.

133

135

Le monde en poche avec Berlitz!